金陵全書
甲編·方志類·府志

# 康熙江寧府志（二）

（清）于成龍　纂修

南京出版社

# 江寧府志卷之十三

## 水利

昔者遂人之制一夫有遂十夫有溝百夫有洫千夫有澮萬夫有川以時蓄洩旱澇有備至秦商鞅廢井田開阡陌溝遂洫澮率皆堙沒後世言水利者紛紛矣蘇軾有云今欲鑿空訪水利所謂即鹿無虞豈惟徒勞必大煩擾是水利之不可言也明矣然鄭國開涇水關中爲沃野信臣造盧陂南陽享其利安見灌漑之饒不足爲國家之益乎顧任用之人何如耳志水利

上元

秦淮按實錄注本名龍藏浦其源一發自華山經句容西南流一發自東廬山經溧水西北流入江寧界二源合自方山埭西注大江吳時夾淮立柵宋元嘉中浚淮起湖熟廢田千餘頃

後湖一名元武湖一名蔣陵湖在太平郭外二里周圍四十里東西有溝流入秦淮舊志深七尺灌田一百頃中有洲五舊洲新洲別島洲蓮蕚洲龍引洲宋熙寧中廢湖爲田明初復爲湖貯黃冊於上名曰水庫詳山水志

本朝順治年間仍廢庫爲田聽佃種

三岡湖在縣東六十里溉田八十頃地有三岡俯臨湖側因以爲名

烏意湖在縣東八十里周三里溉田一十頃

西干湖在縣東五十里周五里溉田五十頃長樂崑崙甃之西有村曰西干因以名湖

劉陽湖在縣東南六十里溉田三十頃

白社湖在縣東南二十里溉田十頃

臨賀塘在縣東溉田二十頃梁臨賀王正德理田于此故名

開善塘在縣東南溉田二十頃

銅塘在縣東南漑田二十頃

王塘在縣東南漑田三十頃

水門塘漑田十七頃

赤山塘在縣東漑田一百頃

長塘在縣東南漑田一百頃

畲湖塘在縣西北漑田十頃

劉塘在縣北漑田四十頃

義溝瀆在縣東流入秦淮漑田十頃

迎擔湖在石城後五里實錄云費縣西北有迎擔湖漑田三十頃

蘇峻湖在城西北十五里周十里灌田十二頃本名
白石陂
半陽湖一名半湯湖即麒麟門外香泉是也去城四
十里周十五里其泉冷熱相半鄉民資以溉田
江寧
秣陵浦在城南五十里濶十丈長十里深一丈一尺
溉田四十頃輿地志云浦以舊縣得名出龍山北流
十里入葛塘湖又十里入長溪合于淮
婁湖在縣東南十五里周一十里溉田二十頃水流
入艦澳輿地志婁湖苑吳時婁侯張昭所創有湖以

溉田宋時築爲苑

梁墟湖在縣東南周十里溉田二十頃

高亭湖在縣東南三十里周二十里溉田二十五頃

石坳湖在縣南周二十二里溉田四十餘頃

河湖在縣西南周八里溉田十頃

笪湖在縣南六十里周五里溉田十五頃

銀湖在縣南周十三里溉田二十頃

白都湖在縣南周八里溉田二十五頃

葛塘湖在縣東南七十二里周七里溉田四十頃

白家湖在縣東南二十里其浸甚廣溉田頗多里人

相傳有九灣十八汊

句容

絳巖湖一名赤山湖在縣西南三十里源出絳巖山周百二十里下通秦淮古蹟編赤山湖在上元句容兩縣間溉田二十四圩南去百步有磐石以爲水疏閉之節晉明帝使築赤山塘即此也唐麟德中令楊延嘉因梁故堤置後廢大曆十三年王聽復置周百里爲塘立二陡門以節旱澇溉田萬頃前志云吳人創立梁人通之東至數壚西至兩壇南至赤岸北至靑城春夏貯水深七尺秋冬貯水深四尺晉天福宋慶曆中並將湖心磐石水則刻於柱上永爲定則

江城湖在縣西北六十里耶琊鄉廣一百八十畝深六尺二寸溉田八頃

周家湖在縣南五十里臨泉鄉今爲周千圩

黄城堰在縣東三十里長一里深四尺灌田三頃

范家堰在縣西北三里通德鄉長二里深四尺灌田二頃

菩薩堰在移風鄉去縣東北六十里深八尺灌田二百一十三畝

黄堰在福祚鄉去縣南一十五里　慶元間因黄提舉監造石堰故名關屯水利澆灌通德福祚兩鄉官

民田土千餘頃下赤山湖達秦淮

黃塘堰在來蘇鄉去縣東三十里深四尺灌田三頃

湯泉在邑瑯琊鄉湯山之東麓南麓俱有泉噴湧而出初出時爇不可探本村人用其流處爲池資其水利可灌田一圩

郭干塘在長隱山東數里周廻五畝深五尺一寸灌田數十餘畝

赤石塘在縣東南陶隱居云有赤石田在中茅峰西此塘水利溉田數十畝

上鈴塘在縣南十三里計四十一畝一角四十二步

深五尺三寸溉田二百二畝

郭西塘在縣西一里許計一百八十畝一角五十步深七尺三寸溉田五百七畝

西黃塘在縣東北十里澗西廣一十五畝溉田三十八畝

南黃塘在縣東北十里赤堤約一百畝深五尺溉田二百畝

西大陂塘在上容鄉去縣東南四十里廣百畝設二碶放水灌田五百餘畝

旱塘在承仙鄉七圖計十五畝溉田三十八畝

溧陽

溧水西北四十里出自南湖發源溧山在今高淳縣界益高淳自溧水而分溧水又自溧陽而分溯厥由來殆因固城之治而得名也南湖在固城南二十里城在水北故名溧陽迨東壩築而溧乃南流非復秦漢故道矣

戈旗壩南十里 邑人董粤固重修戈旗壩記畧曰溧邑西南多山東北多水其形勢高下懸絕暴雨崇朝則西南山水横發而東南爲澤國諸客水又悉注爲壑其西由固城踰五堰而下經昇平三塔諸灣至南渡橋直注雙橋至城下繞城之東南出秦公橋爲一支其東南銅官諸山之水則由戴埠一支析分入黄墟白雲諸蕩由夏林港折而至葛渚爲一支來水遠而合衆流以奔赴倘啟閉蓄洩不得其

方則滋爲民患明朝邑侯徐公縉芳董公允升集紳士會議咸云建築戈旗壩成與溉田輓漕弭盜甚有裨兩侯詳報上臺遣水利廳相視仍報可允詳乃築之壩成八十餘年至

本朝順治庚寅夏大水衝決壩遂潰明年辛卯復大水乃盡決爲河民罹其患今已三十年矣先是邑侯林水心王又典裴蘆院各議修復具詳 各憲僉報可會三侯解任去不果行及韓侯先格下車訪民疾苦邑之紳士里老仍合詞云歲苦水旱苦漕輓苦盜嘯聚若欲去患而興利無如修復戈旗壩於是韓侯毅然爲之畚者插者椿者築者合力邪許歡若子來六日而壩成余因爲之記曰水不歸湖其湖也無所受其旱也無所滋東漏湖在宜興百里而遥長蕩湖在邑境內二十年而近有壩以截之諸水不趨東而趨北雖山水橫發不崇朝悉歸長蕩湖其近遠遲速之效已可睹矣東漏遠而處窪下其水去而不返長蕩近而湖身高阜則水轉入河土人謂之翻湖水康熙十七年大旱緑湖水汐流溉田者四十里其利民者一漕船行南河則就淺北河則就深冬涸春枯漕船閣淺里長鳩工灌河歲苦夫役不支有壩以截之則

北河深南河三尺許雖道遠一里許然歲省民夫役錢以萬計其便漕者二壩之東西溧陽宜典地界分焉盜之藪也乘風揚帆直前莫禦有壩以截之其盜船須由戈旗村落中轉出戈旗人居稠密盜畏不敢逼即有失事界限昭然而兩縣推諉之弊息其弭盜者三此壩一修而田畝免旱澇之苦歲修無夫役之勞盜賊斂跡而不敢橫壩不亦三有益乎韓侯因名爲戈旗三益壩

南渡渰縣西北四十里建平高淳西南諸水盡瀦於此分注兩江去渡五里曰界河明萬曆初官建石閘以時宣洩或議紛更而東小之於民不便知縣徐一經勒石禁之

沙漲渰在縣北二十里明嘉靖癸卯乙巳間大旱太僕史際募民築塘凡八閘月存活萬計更其名曰救荒渰

荆山塘西南四十五里一名官塘又縣北丫髻山亦有官塘有司濬之而民利焉

溼瀆北三十里金壇溧陽之水於此合入洮湖鎮江志云晉宋舊有此瀆隋大業初縣令達奚明疏決之歲久復淤則丫髻瓦屋諸山川無所洩頻湖之田悉沒於湖旱則無所引灌明成弘間知縣靳瓊頻加濬鑿水勢深濶民賴以利

百丈溝南五里一名百步溝源出燕山東入白雲溪舊有壩三十四處儲水以灌高原歲久堙淤明弘治初縣令楊榮開濬八百餘丈中存九壩灌溉不竭

繰車溼南十里水利要地也明成化間邑令熊達疏濬

## 水利議附畧

邑人陳時泰曰今之言水利者說有二一曰水以曲而秀則形家之說也利在士一曰源之深者流自長則學士大夫之說也利在民如邑東之戈旗壩卓有成效兹不復述若邑南之水由龍潭而下十里至分水墩二分入宜興百家蕩一分由分水墩入月潭橋流十五里入港口又分入宜興渡濟橋歸城壕者十分之一耳愚謂分水一墩未必非昔人欲遏水勢而築之者乃歷年既久水蝕風飄浮如螺髻倘急爲培補固以灰石鎮以廟宇則南來之水雖不盡入邑河而波迴澄蓄焉知不與戈旗三益壩異事同功也哉至利乎民者不在東與南而在邑之西溧邑民田惟西鄉稱下下若奉安若桂壽若明義若從山諸山皆仰給三塔湶水古稱梁城湖是也湶水泛則田皆澤國湶水泄則長河生塵桔槹無所施而秄粒不登矣葢梁湖自伍牙注而下廣通鎮注而下總聚壍口壍口之水直泄而無委曲滙聚之處是以潦則衝突激射裂埂傷圩旱則爍石流金易生蝗蝻故曰溧邑之水與蘇松異蘇松之水宜泄於湖溧邑之水宜蓄於

湖也若於塹口築堤防或懸置石閘濬支河以抑其流而紓其勢則啓閉在我資潤澤而不窮且隄防既久循支流而不怒毋論旱不傷農即潦亦不傷稼亦非獨西鄉也塹口之水既有梁城湖矣塹口之下南渡河在焉兩水蓄積流衍無窮東鄉有不並受其利者乎

溧水本邑水利多與溧陽高淳同

固城湖西南九十里周一百里深三丈南北三十里東西二十五里

石臼湖西南四十里縱五十里橫四十里西連丹陽湖

丹陽湖西七十里周百九十五里深三丈中流與當塗縣分界以上詳山水志

砂湖南六十里今開堰周五十畝

烏刹堰北四十五里長一里濶一丈五尺

官塘堰東二十五里計三十畝以上三堰皆可溉田

藕絲堰南與高淳連界內有羅城等九圩六埠四堰

舊有上壩數爲洪水浸沒明季造石閘溧民賴之

邑志云溧水地界西南湖水汪洋城北河道原係秦淮河源俱有埂岸每年春季民間自行分界修築縣北沿河堤岸計六十里東北堤岸計四十里南河堤岸計四十里西南河堤岸計八十里上流水漲多有衝決隨決隨修邑令正其界至治其爭訟而已縣西有胭脂河乃明洪武年間開創河身鑿經山脊數里以致壅塞不通水利近傍低地有舊河影一道從縣南洪藍埠至縣治城河相去十五里可通湖水直達省城利商賈資灌漑宜備與修云

高淳

淳溪東南一里受固城湖水會興橋甘家橋經大通橋下至永濟橋西出官溪河西流花犇岡南會孔師渡過錢家渡出分界渡下塘溝北入石臼湖

沛溪東南三十里源從溧山茅山一帶水出積德橋過石壩港至張沛橋會雙河口經前村渡固城渡西人固城湖

漆橋河東三十里源從溧山以西龍王廟下溧山以北諸家橋下合龍墩蛇漕溝經船橋出漆橋過祠成渡張家港黃連橋會談溪渡及候吳渡南流入固城

湖

漕塘河東南四十里源從九龍山澗水北流經漕塘人壩會前村渡

楊柴港花山西併石頭山澗水入固城湖

牛兒港固城湖西南與宣城界合慈溪水達空相寺右出水陽大河

橫溪西南二十里受固城湖水從雙橋渡經蓮花蕩至陳家渡下犂耙渡會鰍魚嘴水出澄溝

茅城灣南二十里自雙橋渡西南徐村渡及相國圩

仙人橋水下梁上廣濟橋出水陽水碧橋

滄溪西北十五里分淳溪水過練城灣月潭灣沿永豐圩北埂出撐龍港渡下芮家嘴注丹陽湖

龍潭河西南三十里即永豐圩西陡門外河南自澄溝西會搬柴港受蕪湖江水同至芮家嘴水溢之時與湖無別

桃花澗即桃花岡以西水經下塘出棠梨港土橋會汶溪青龍橋及高家灘出趙倩圩南里仁橋注石臼湖

藕絲堰北三十里水自尋真觀北澗至石臼社鳳凰橋折入橫溝滙戴家城至江夏橋並出堰口爲石臼

湖

洪漕壩西三里水自𥜥湖門外西新橋及正義橋過永豐倉橋至壩北隨花犇岡出薛城大葑橋注石臼湖

蘆溪西北十里水自大河沿卽爲石臼湖冬春水涸兩岸皆草塲明初所開運河從東壩至此過溧水天生橋

天生橋河雖屬溧水乃石臼湖東北水道爲高淳要害明萬曆十五年大水山崩斷流二十五年𨚍縣丁日近以鄉宦張應亮庠生趙邦彥呈請疏鑿天生橋

豈禁約碑有重濬天生橋碑記載藝文

東壩東南四十里一統志載余家堰詳邑人韓邦憲

壩考載藝文

中壩在東壩下壩之中長十里古胥溪也東西皆不

得與水通惟有蔣家土橋一源經王母澗注此河今

澗𠃜復築隄以備灌漑河之兩涯多墾田

下壩亦五堰之一有驛橋亦胥溪也水東下平墅土

橋及鄧埠下橋入溧陽三塔蕩

大山水東北七十里一源東出了溪港至蘭岡土橋

胥河𠃜圖經云五堰東入溧陽三塔蕩是也一源西

出馬步橋及嚴家橋入胥溪

江浦

珍珠泉在縣治東北二十里定山右溉田甚廣居民置水磨十餘爲利

湯泉在縣治西南三十五里數泓湧出流入後河近泉田地賴以灌溉者甚廣水利輪日分放立有成規無敢壅阻

湯溝泉在縣治北三十里駱駝峰下北流入三汊河溉田數十頃有水磨爲利

墨泉在浦子口城滄波門外界六合一名黑水泉可

漑田亦有水磨
韋游溝在縣治西南近烏江鎮溝引江水至鎮漑田五百頃唐開元中烏江丞韋丑開貞元十六年令游重彥又治之民享其利以姓名溝今廢
孤塘在縣治西三十里歲久淤積成田明嘉靖三十年知縣侯國治清理築隄儲水居民始得灌漑
香泉塘卽湯泉居人甃石爲浴塘男女各一其泉流十數里可漑田
東龍塘在縣治南四十里周凡四百三十三畝有奇歲久堙廢居人多墾爲田近議築濬儲水卽可收灌

溉之利

西龍塘較東龍塘差小相去里許可溉田若干畝

蘆塘在縣治西北四十五里三塘俱明隆慶間知縣王之綱申允起租

官塘在縣治西半里舊爲豬羊圈後廢明嘉靖辛亥知縣侯國治鑿濬儲水召人種藕蓄魚以助公費隆慶三年知縣王之綱申准令佃戶建文昌關王二祠祀之

檀家壩在縣治西南三十里居人堰山水溉田凡若干頃

高家壩近檀家壩差小

六合

瓦梁堰在縣治西北五十里即涂塘也嘉定志云知全椒王獻記滁河而上數百里巨細駢比合五十四流輻輳於此四顧則中缺橫高而囘環相望則底若大陸如壺口是涂塘之形勢也其曰作涂塘者是塞滁水以爲塘也瓦梁之名有二上瓦梁下瓦梁今作涂塘者下瓦梁也北齊嘗置瓦梁郡陳吳明徹討平之即此地

長塘堰在縣治西南五里

劉城堰在縣東五里　符融山泉灌田數百畝
茆城堰在縣西高岡上與劉城堰相對
賈裴塘在東二啚
草塘在縣西五里北四五都一啚地方
栗山塘在東二都三啚　高明塘在南四五都三啚
張塘在南四五都三啚　堰城塘在南四五都三啚
姚家塘在下三都一啚　梁塘在下三都二啚
郭明塘在下三都三啚
塔下塘在東二都三啚此因水衝山土淤塞知縣邵
漳令民佃墾入租

圻塘在北四五都二啚收西北一帶山中水下隄高聳如嶺北望無際水滿則止水能波作怒號聲

任家壩在東二都三啚　凌家壩在北四五都三啚

西王古壩在東二都二啚

平山王家大壩在東二都三啚

鍾家壩在東二都二啚

以上塘壩據明成化志俱洪武二十八年建築成化十年典史萬郁重修按各里民田與各衛屯田塍相雜圩塘水利軍民共之其有圯塞則協力修濬云

論曰民事莫重於水利然水有天造之利有人爲之

利天造者如諸泉水不可多得而利亦不甚廣廣之惟在築濬陂塘堰壩使瀦之而爲溝必因水勢之大小障之而爲防必因地勢之高下歲若旱則引河之水以入於田歲若澇則引田之水以出於河旣無烖荒轉徙之慮亦免蠲租軫卹之勞故丘濬有云井田雖不可行溝洫則不可廢誠確論也假使國中不幸有水旱之厄卽倣宋臣范仲淹以官糧募貧民大興水利令有司籍其老弱無力者爲一等强壯有力者爲一等無力則賑糧自便有力則給米濬築官不徒費民不徒勞一舉而二善備焉金陵八邑其水利之

廢弛者不卯凡幾所當乘農隙之候相視地宜勸民修舉各按里甲命之開塘築壩務使蓄洩得宜利在一家者家舉之利在衆人者共舉之有連屬隣邑工程浩繁者官舉之俾近民各助以力私家力不足者官量出粟以給之計工酌費而責其成然非一朝一夕事也前人興之後之人相繼而成之功不必出於已也由是而水利興農政修事利於民而即利於國勞在一時而實逸在百年但不可鑿空求之如宋蘇軾所譏焉則善矣

蠲賑

序蠲賑於水利之後者何盖水利所以備荒蠲賑所以捄荒備荒在平時之講求捄荒在臨時之補助備荒有民爲之者有官爲之者捄荒則特恩頒自
朝廷然非繪圖入　告則下民其咨何以達
九閽而沛膏澤乎故列蠲免所以昭
湛恩之汪濊詳賑濟所以表大吏之勤民云志蠲賑

上江二縣

蠲免無

賑濟

康熙十八年旱荒冬大饑奉
督撫部院　藩臬司道檄行府縣協力捐助暨在城各鄉
紳士民行戶倡募捐助銀米總數
通共捐輸募助銀八千一百七十五兩七錢二分三
釐內動支銀七千六百五十六兩二錢九分一釐
八毫五絲買米五千六百六十四石五斗五合應
存銀五百一十九兩四錢三分二釐一毫五絲耗
色四兩四分實存銀五百一十五兩三錢九分一
釐一毫五絲
通共捐輸米六百二十三石七斗九升一合五勺內

收本色米四百九十七石二斗七升六合五勺又
完銀折米一百二十六石五斗一升五合折收銀
一百七十兩七錢九分五釐二毫五絲連前買米
共六千一百五十七石六斗八升一合五勺連前
存銀共六百八十六兩一錢八分六釐四毫

二項銀米支銷細數

上元縣

一發朝天宮神樂觀淳化鎮排頭菴棲霞寺靈谷寺
六廠米二千七百五十四石六斗八升
一發朝天宮等六廠置辦蘆柴什物二百一十五兩

八錢七分五釐二毫

江寧縣

一發報恩寺靜海寺江寧鎮牛首寺四廠米二千六百四十一石三升一合五勺

一奉
總督部院檄發溧陽縣買米賑濟銀三百三十兩三錢三分三釐三毫三絲

一發溧水縣買米　一發江浦縣買米

以上二縣買米賑濟銀數與溧陽縣同

一安徽藩司原借支倉米七百六十二石七升補還司倉

以上共發米六千一百五十七石七斗八升一合
五勺並無存贍
共用銀一千一百七十五兩三錢四分三毫九絲
內除動支前項捐輸存銀併折米價六百八十六
兩一錢八分六釐四毫實借撥本府庫項併揭湊
銀六百八十九兩五分三釐九毫九絲以各戶塡
捐銀兩勸催補庫訖
康熙十九年正月初三日起動支捐助銀米分發粥廠
開賑至本年三月十三日止
上元縣

共應賑大小饑民三萬七千八百八十四名口每日

增減多寡不一

賑過米六千石二斗七升四合五勺

用過蘆柴什物銀二百一十五兩八錢七分五釐

二毫

前件支過銀米內

一奉發松江唐同知解到江西米二千八十石

一本府勸捐湊賑米二千七百五十四石六斗八升

銀二百一十五兩八錢七分五釐三毫

一借　安徽藩司倉米內給賑米一千一百六十五

石五斗九升四合五勺補還米三百八十一石三升五合實存應支正項米七百八十四石五斗五升九合五勺

以上共符賑米六千石二斗七升四合五勺銀二百一十五兩八錢七分五釐二毫內動支勸賑米三千一百三十五石七斗一升五合銀二百一十五兩八錢七分五釐二毫不開銷正項外實應開銷正項米二千八百六十四石五斗五升九合五勺

江寧縣

共應賑大小饑民二萬五千八十一名戶
賑過貧生五次共三百四十六名
共賑過米四千六十五石八斗五升一合
用過蘆薪什物銀一百五十九兩三錢六分五釐
二毫
前件支用銀米內
一奉發松江唐同知解到江西米九百二十石
一本府勸捐湊賑米二千六百四十一石三升一合
五勺銀一百五十九兩三錢六分五釐二毫
一借　安徽藩司倉米內給賑米五百四石八斗一

升九合五勺補還米三百八十一石三升五合實存應支正項米一百二十三石七斗八升四合五勺

以上共符賑米四千六十五石八斗五升一合銀一百五十九兩三錢六分五釐二毫內動支勸賑米三千二十二石六升六合五勺銀一百五十九兩三錢六分五釐二毫不開銷正項外實應開銷正項米一千四十三石七斗八升四合五勺

## 句容縣

### 蠲免

康熙十八年分蠲免地丁銀二萬四千四百九十五兩三錢三分二釐一毫一絲四忽零

存留米九十三石六斗一升二勺七抄七撮零

南豆二百四十石四斗二升五合七勺五抄八圭

九粟零　以上銀米奉遵

旨踏勘災傷等事案内蠲免

賑濟

共應賑大小饑民三萬七千四百三十名口

賑過米四千八百二十八石一升一合五勺

用過柴薪銀九十八兩四錢八分四釐

前件支用銀米內

一奉

江撫部院發米六百石

江蘇布政司二次發銀一千五百兩買米一千一百

三十石又奉發米一千石

一奉發松江唐同知解到江西米一千七百石

一該縣動支本年地丁銀一百四十二兩一錢買米

九十八石

一故民王忠吾妻韓氏捐米三百石又該縣添給一升一合五勺

以上共符米四千八百二十八石一升一合五勺

銀九十八兩四錢八分四釐內動支動賑米三百石一升一合五勺不開銷外實應開銷正項米四千五百二十八石銀九十八兩四錢八分四釐

溧陽縣

蠲免

康熙十八年分蠲免地丁銀一萬九千七百五十一兩三錢三分九釐三毫八忽七微二纖二沙零

孤米一百三石五斗五升五合五勺五抄八撮三圭八粟二顆零

黑豆四百三十二石七斗八升七合八勺六抄二

撮二圭四粟零　以上地丁米豆奉遵

旨踏勘災傷案內蠲免

康熙十九年分蠲免地丁銀一萬三千二百四十一兩

三錢七分六釐六毫六絲六忽四纖七沙零

孤米七十四石七斗四升七合四勺一抄二圭二

粟七顆零

黑豆二百八十七石三升一合三抄二撮七圭零

以上地丁米豆奉被災州縣等事案內蠲免

賑濟

共應賑大小饑民三萬一千二百六十四名口

支用米四千七百二十石七斗七升

用過柴薪什物等項銀三百四兩二錢

前件支用銀米内

一奉

總督部院憲行給發本府勸捐銀三百三十三兩三錢三分三釐三毫據該縣買米二百二十二石二斗二升二合

一奉發松江唐同知解到江西米一千石

一本縣勸捐湊賑米三千四百九十八石五斗四升八合銀三百四兩二錢

以上共符賑米四千七百二十石七斗七升銀三百四兩二錢內動支勸賑米三千七百二十石七斗七升除勸捐銀兩不開銷外實應開銷正項米一千石

溧水縣

蠲免

康熙十八年分蠲免地丁等項銀共一萬七千六兩八錢零

存留恤孤蠲米一百二石四斗零

黑豆一百七十八石七斗零

以上地丁米豆奉遵

旨踏勘災傷案內蠲免

賑濟

共應賑大小饑民二萬三千七百五十一名口

支用米四千二百七十石六斗二升二合

前件支用銀米內

一奉

總督部院憲行給發本府勸捐銀三百三兩三錢三

分三釐三毫據該縣買米二百二十二石二斗二

升二合

一奉發松江唐同知解到江西米一千石
一該縣勸捐湊賑米二千九百八十五石四斗
以上共符賑米四千二百七石六斗二升二合內
動支勸賑米三千二百七石六斗二升二合實應
開銷正項米一千石
高淳縣
蠲免
賑濟
共應賑大小饑民二萬八千七百五十名口
支用米四千六百四石四斗八升

前件支用銀米內
一該縣勸捐湊賑米四千四石四斗七升
一奉發松江唐同知解到江西米六百石查此項郎在該縣勸捐銀米內催完補
安德藩司借支倉米
以上共符賑米四千六百四石四斗七升內動支勸賑米四千四石四斗七升應抵銷米六百石
江浦縣
蠲免
康熙十八年分蠲免地丁銀四千三百五十兩二錢八

分八釐三毫四忽八微零
學租銀二十六兩八錢三分六釐四毫
恤孤米一十五石九斗八升九合四勺又蒙
督撫部院
題准康熙十八年應徵漕米停征正耗米二千四百七
十八石四斗三升二合九勺二抄七撮零
贈米一百二十三石九斗二升一合六勺二抄零
贈銀一百二十三兩九錢二分一釐六毫四絲五
忽零又停征南米九十石九斗八升四合八抄七
撮零又康熙十九年帶征兌運漕米

蠲免屯衛

康熙十七年分旱災上元中鎮南二衛奉

各部院達　部議照十八年

題准蠲免三分共蠲米一千六百五十一石二斗七升

零蠲免起解　藩司欵項銀一百五十八兩六錢

六分三釐三毫零

康熙十八年分旱荒江浦縣開報江寧前江寧後上元

前上元中江淮左興武鎮南七衛十分九分災荒

蠲免三分共蠲米三千四百九十六石三斗六升

七合九勺零實蠲起解　藩司欵項銀一百六十

二兩七錢一分一釐九三絲二忽零

賑濟

共應賑大小饑民二萬七千四百六十一名口

支過米一千五百一十石三斗五升五合

用過柴薪什物等項銀一十四兩一錢七分五釐

前件支用銀米內

一奉

總督部院憲行給發本府勸捐銀三百三十三兩三

錢三分三釐三毫據該縣買米二百三十一石

一該縣勸捐湊賑米二百七十九石三斗五升五合

勸捐湊賑銀一十四兩一錢七分五釐

一奉發松江唐同知解到江西米一千石

以上共符賑米一千五百一十石三斗五升五合

銀一十四兩五錢七分五釐不開銷外實應開銷

正項米一千石

六合縣

蠲免

康熙十七年分報災荒九分十分奉

旨蠲免錢糧三分

康熙十八年分報災荒九分十分奉

旨蠲免照定例三分外破例加免二分共五分
康熙二十年分報旱災九分十分奉
旨蠲免錢糧三分
康熙二十一年分報水災五分六分奉
旨蠲免錢糧二分
賑濟見康熙十九年府冊
共應賑大小饑民二萬五千五十三名口
支用米三千五百二十七石九斗六升二合五勺
前件支用銀米內
一奉

江撫部院發米五百石
江蘇布政司發銀一千兩買米六百五十七石八斗九升五合
一該縣動支本年地丁銀五百四十五兩買米三百五十八石五斗五升三合
一奉發松江唐同知解到江西米一千七百石
一該縣自捐併勸募凑賑米三百二十一石五斗一升四合五勺
以上共符賑米三千五百三十七石九斗六升二合五勺內動支勸賑米三百二十一石五斗一升

四合五勺不開銷外實應開銷正項米三千二百
一十六石四斗四升八合
通計府屬八縣共大小饑民二十三萬六千六百七
十四名口
又貧生五次通計賑過三百四十六名
支用賑米三萬三千四百七十五石三斗一升六合
五勺內動捐輸米一萬八千二百二十二石五斗
二升四合五勺不開銷外實應開銷正項米一萬
四千六百五十二石七斗九升二合又高淳縣詳
銷未允正項米六百石以催完勸捐抵銷

支用銀七百九十二兩九分九釐四毫内動捐輸銀
六百九十八兩四錢八分四釐

論曰嘗考唐代宗時劉晏掌財賦以爲戶口滋多則賦稅自廣故其理財以愛民爲先諸道各置知院官每旬月具州縣豐歉之狀應民之急未嘗失時不待其困敝流亡然後賑之也由是戶口蕃息始天下見戶不過二百萬其季年乃三百餘萬在晏所統則增非所統則否豈非任法之不如任人歟我
國家垂統四十餘年勞來安定大有頻書而天菑流行亦所不免如康熙十一年江南旱蝗　總制麻公不

憚勞瘁爲文驅捕躬行賑濟全活百萬生靈大司馬
王公弘祚記中詳言之茲不復述第述近今各屬邑
之疊被水旱者姑志大畧以見
君民一體初不因用兵之秋而遂弛其散利薄征之典
也況　督撫藩臬諸憲以暨郡佐有司一時大法小
廉莫不以我
后愛民之心爲心捐俸倡募竭蹷襄事起溝瘠而噢咻
之嗟乎可謂賢矣至於紳袍士庶篤念桑梓以佐荒
政之不逮其功皆不可泯惜限於簡編不得列其姓
字要之無所爲而爲不尤愈夫好善沽名者哉且因

捄荒之勤勞即思備荒之長策未及旱澇而早圖之則費不繁而用力省視唐之劉晏未足多矣

江寧府志卷之十三終

# 江寧府志卷之十四

## 歷官表上

唐虞三代列辟承流尚矣秦漢置守歷代因之其臨民率屬準古公侯俊乂得以奮庸彪炳史冊蓋其詳哉金陵重鎮荷任尤艱有明關畿設尹異于諸郡我

朝鼎建以來雖罷尹丞秩而彙選司牧增置寮案為首省名區恃為倚重也然滿漢駐節憲司上臨政繁事劇視古尤倍屬者賢守踵接幾於歲龔黃而人卓魯焉非盤錯無以別利器信然休風偉績別有紀登氏系爵里欣茲表列志職官

漢

丹陽太守

光武建武六年　李忠　東萊黃縣人中水侯改豫章

靈帝熹平元年　陳夤

臧旻　廣陵射陽人嘗爲揚州刺史遷中郎將年無考

周尚　廬江縣人後爲袁術所逐

獻帝初平元年　周昕　孫策尋殺之

興平元年　吳景　吳郡人劉繇逐之復任加揚威將軍

建安八年　孫翊　吳郡富春人孝廉偏將軍後爲郡吏所害

九年　孫瑜　吳郡富春人屢加綏遠奮威將軍

朱翔 年無考

張馴 濟陰定陶人辟公府徵拜山東尚書終大司農年無考

十四年 蔣濟 平阿人歷大尉封都鄉侯謚景

呂範 汝南細陽人奮威將軍宛陵侯遷揚州牧吳進大司馬

高瑞 征東將軍

唐翔 年無考

帝禪建興十三年 諸葛恪 瑯琊陽都人吳嘉禾三年撫越將軍遷左將軍歷太傅

滕胤 北海劇人吳都亭侯改會稽加衛將軍

延熙十五年 李衡 襄陽人吳太元二年左司馬加威遠將軍

十六年 聶友 豫章人吳建興二年

吳 主晧天紀四年 沈 瑩 死於陣

晉

丹陽太守 一作內史

惠帝 永興元年 朱 建 爲揚州刺史曹武所殺

王 曠 陳敏據江東曠棄官遁

懷帝 永嘉元年 王 導 琅琊臨沂人加輔國將軍固辭歷太傅丞相司徒謚文獻

孔 冲 會稽山陰人

愍帝 建興 薛 兼 郡人安鄉鄉侯尋轉尹

丹陽尹

元帝 大興元年 薛 兼 遷尚書領太子少傅

四年 劉 隗 彭城人遷鎮北將軍都督假節加散騎常侍

戴邈　廣陵人加左將軍進尚書僕射贈衛將軍謚穆

諸葛恢　瑯琊陽都人遷侍中歷尚書令贈儀同三司謚敬

明帝大寧二年　溫嶠　太原祁縣人秀才加中壘將軍歷散騎常侍侍中謚穆

成帝咸和元年　阮孚　陳留尉氏人遷都督交廣寧三州軍事領廣州刺史

羊曼　泰山南城人加前將軍死難贈太常

四年　褚翜　河南陽翟人遷中護軍歷尚書左僕射贈衛將軍謚穆

五年　顧衆　吳郡吳縣人遷侍中歷尚書令贈特進光祿大夫謚靖

高悝　廣陵人光祿大夫封建昌伯

咸康元年　何充　廬江灊縣人建威將軍歷侍中錄尚書事贈司空謚文穆

五年　殷融　無考

八年 **桓景** 譙國銍縣人歷中領軍護軍將軍封長社伯

**周謨** 汝南安成人遷侍中封西平侯贈柴金光祿大夫謚貞年無考

**穆帝** 永和三年 **劉惔** 沛國相縣人侍中

**王胡之** 琅琊臨沂人遷中郎將同州刺史

升平 **孔嚴**

**庾龢** 潁川鄢陵人遷中領軍

**王劭** 琅琊臨沂人遷吏部尚書左僕射謚簡年無考

**帝奕** 太和 **韓伯** 潁川長社人遷吏部尚書贈太常

**武帝** 寧康元年 **王坦之** 太原晉陽人中書令遷都督徐兗等州軍事贈安北將軍謚獻

太元四年 **王蘊** 太原晉陽人加散騎常侍遷鎮軍將軍贈開府儀同三司

五年 沈嘉

八 王恭 太原晉陽人遷中書令

王琨 琅琊臨沂人襲始興公贈太常年無考

二十年 王雅 東海剡人秀才領太守少傅歷左僕射贈儀同三司

哀帝

隆安元年 王國寶 太原晉陽人後將軍進左僕射

二年 車亂 太平人輔國將軍遷吏部尚書亂本傳與江績相屬金陵志誤以亂爲績猶載桓奕事也今正之

王愷 晉陽人復遷吳郡內史贈太常

五年 司馬恢之 宗室驃騎司馬死難贈撫軍將軍

元興 袁豹 陳郡陽夏人改太尉諮議參軍

五年沈　嘉遷監中軍留府事

義熙七年郄僧施高平金鄉人襲南昌公遷南蠻校尉假節

八年劉穆之東莞莒人太尉司馬遷左僕射前軍將軍封西華縣子

十二年徐羨之東海郯縣人吏部尚書遷尚書僕射降宋爲司空

宋

武帝永初元年檀道濟高平金鄉人封永脩縣公加右軍遷南兖州刺史

二年鄭鮮之滎陽開封人遷都官尚書歷右僕射

三年謝方明陳郡陽夏人改會稽太守

徐珮之東海郯人改吳郡太守

文帝元嘉江　夷濟陽考城人吏部尚書加散騎常侍進右僕射贈前將軍

六年　王裕　瑯琊臨沂人尚書令歷侍中謚文貞
王淮之　瑯琊臨沂人贈太常
八年　劉義慶　宗室臨川王中書令加輔國將軍歷開府儀同三司
十二年　蕭摹之　南蘭陵人
十三年　何尚之　廬江灊縣人遷祠部尚書歷中書令
十五年　王瑩　開府儀同三司
十七年　劉湛　南陽涅陽人金紫光祿大夫散騎常侍以罪誅
十八年　孟覬　安昌人進尚書僕射
羊元保　泰山南城人遷會稽太守歷散騎常侍
二十一年　徐湛之　東海剡縣人冠車將軍加散騎常侍

二十五年 趙伯符 下邳僮縣人護軍將軍

二十五年 徐湛之 再任領太子詹事遷尚書僕射贈司空謚忠烈

三十年 褚湛之 河南陽翟人左衛將軍

王僧達 瑯琊臨沂人歷中書令金陵志有臧質宋書有尹弘俱劾所用不書

孝武帝孝建元年 蕭思話 南蘭陵人中書令遷使持節五州諸軍事安北將軍贈開府儀同三司謚穆

褚湛之 中書令三任

劉延孫 彭城莒縣人遷吳興太守歷侍中左僕射贈司徒謚文穆

顔峻 瑯琊臨沂人加散騎常侍中書令

三年 劉遵考 宗室營浦侯加散騎常侍遷右僕射歷侍中

顔峻 右將軍再任遷東揚州刺史

大明元年 劉子仁 宗室永嘉王遷衞尉

二年 褚湛之 四任進左僕射贈侍中謚敬

四年 孔靈符 會稽山陰人改會稽太守

劉秀之 東莞莒縣人遷右僕射歷使持節都督州郡諸軍事安北將軍雍州刺史贈侍中謚忠誠

五年 王僧朗 瑯琊臨沂人遷左僕射歷侍中贈開府謚元

八年 柳元景 河東解縣人侍中尚書令開府儀同三司

顏師伯　瑯琊臨沂人進左僕射加散騎常侍

劉子真　宗室始安王遷南兗州刺史

明帝泰始二年　王彧　瑯琊臨沂人右僕射遷中書令歷太子太傅贈開府儀同三司謚毅

五年　袁粲　陳郡陽夏人中書令遷尚書令歷司徒侍中死義

劉景素　宗室建平王遷吳興太守歷開府儀同三司死義

劉秉　宗室左衞將軍遷太子詹事

褚淵　河南陽翟人散騎常侍出爲吳興太守歷中書令降齊爲司徒

主昱元徽二年　劉秉　散騎常侍再任累遷尚書令中領軍死義

順帝昇明元年　王奐　瑯琊臨沂人冠軍將軍出爲吳興太守降齊歷雍州刺史

二年　沈文季　吳興武康人降齊爲侍中

齊

高帝建元元年 王僧虔 瑯琊臨沂人侍中撫軍進左光祿大夫遷征南將軍特進贈司空謚簡穆

孔山士 無考

蕭子良 宗室聞喜公遷南徐州刺史進封竟陵王歷太傅司徒謚威

王敬則 晉陵南沙人尋陽郡公遷鎮軍將軍歷大司馬

武帝永明元年 蕭晃 宗室長沙王鎮軍將軍散騎常侍歷車騎將軍侍中贈開府儀同三司謚威

呂僧珍 東平山陽人進前鋒大將軍降梁封平固侯

李安民 蘭陵承縣人撫軍將軍進左僕射贈鎮東將軍謚肅

王儉 瑯琊臨沂人衛軍將軍領國子祭酒太子少傅歷尚書令贈太尉侍中謚

文獻

三年 蕭景先 宗室新吳侯詔假節司州諸軍贈侍中征北將軍謚忠

六年 王晏 琅琊臨沂人散騎常侍遷江州刺史留爲吏部尚書歷侍中尚書令進驃騎大將軍

七年 蕭鏘 宗室鄱陽王加散騎常侍遷江都刺史歷司徒將軍

蕭子真 宗室建安王轉左衛將軍出爲郢州刺史歷鎮軍將軍

八年 蕭順之 南蘭陵人領軍將軍贈鎮北將軍謚懿

十年 蕭子敬 宗室安陸王散騎常侍進車騎將軍南兗州刺史

蕭曄 宗室武陵王散騎常侍前將軍遷侍中歷開府儀同三司贈司空謚昭

建武 王亮 瑯琊臨沂人進尚書左僕射降梁歷左光祿大夫

隆昌 徐孝嗣 東海剡縣人散騎常侍前將軍封枝江公遷左僕射累加侍中司空尚書令

主寶卷永元元年 蕭坦之 南蘭陵人右將軍尚書左僕射進封臨汝公贈中將軍

蕭寶攸 宗室邵陵王遷江州刺史進秘書監

二年 蕭寶嵩 宗室晉熙王冠軍將軍遷徐州刺史進中書令

和帝中興元年 蕭穎達 蘭陵人前將軍降梁封作唐侯

## 梁

武帝天監元年 王志 瑯琊臨沂人冠軍將軍歷中書令金紫光祿大夫謚安

二年 王份 瑯琊臨沂人侍中左光祿大夫

沈約 吳興武康人建昌侯領軍將軍遷侍中歷少傅謚隱

五年　蕭偉　宗室建安王撫軍將軍

八年　王瑩　瑯琊臨沂人建城縣公散騎常侍中軍將軍歷尚書令開府儀同三司

王茂　太原祁縣人望蔡公侍中開府儀同三司進太尉

十二年　蕭綱　宗室晉安王宣惠將軍改荊州刺史遷輕車將軍

十三年　韋叡　京兆杜陵人知武將軍遷中護軍贈侍中謚嚴

十五年　蕭深業　宗室長沙王改湘州刺史

蕭綜　宗室安前將軍遷南徐州刺史尋叛降魏

蕭象　宗室桂陽王寧遠將軍

蕭恭　宗室衡山侯中書監遷衡州刺史歷持節仁威將軍贈侍中謚僖

普通元年　蕭綱　再任加侍中出爲平西將軍使持節都督七州諸軍事

七年 蕭機 宗室安成王明威將軍遷湘州刺史

袁昂 陳郡陽夏人歷侍中司空謚穆正

七年 蕭繹 宗室湘東王遷荊州刺史

中大通元年 蕭綸 宗室邵陵王遷侍中揚州刺史

蕭紀 宗室武陵王輕車將軍改會稽大守後稱帝於蜀

三年 蕭綸 再任出爲南徐州刺史歷司空蕭淵藻梁書未拜尹刪之

蕭正德 宗室西豐侯後引景入寇僣號臧盾梁書爲丹陽丞山東通志作尹誤

大同三年 何敬容 廬江灊人中權將軍改尚書令

蕭會理 宗室南康王宣愈將軍出爲使持節都督七州諸軍事死難

王　珍國　瑯琊臨沂人宜陽侯散騎常侍贈車騎將軍謚威

王　銓　瑯琊臨沂人侍中年無考南史張纘九年遷尹未拜不錄

中大同三年　孔休源　會稽山陰人出爲晉安王長史歷金紫光祿大夫贈散騎常侍謚貞

王　固　瑯琊臨沂人舉秀才累加貞威將軍降陳歷金紫光祿大夫

簡文帝大寶元年　蕭大鈞　宗室西陽王宣惠將軍改監揚州

蕭大圜　宗室樂梁王宣惠將軍奔魏

二年　蕭大威　宗室武寧王信威將軍

徐　陵　東海剡縣人安右將軍年無考

元帝承聖元年　王　冲　瑯琊臨沂人中權將軍開府儀同三司遷左光祿大夫

袁　泌　陳郡陽夏人降陳歷雲旗將軍

敬帝 紹泰元年 杜稜 吳郡錢塘人通直散騎常侍右衞將軍

王冲 南徐州大中正再任

太平元年 胡頴 吳興東遷人仁威將軍

# 陳

武帝 永定元年 侯安都 始興曲江人封曲江公出爲都督南豫章諸軍事

程靈洗 新安海寧人出爲高唐太守歷安西將軍封重安侯謚忠壯

侯安都 再任進封桂陽郡公歷征南大將軍

陳擬 宗室散騎常侍贈領軍將軍

吳明徹 秦郡人領軍將軍遷南兗州刺史

陳方泰 宗室南康王仁威將軍使持節都督歷中入隋爲掖令

文帝天嘉元年　杜稜　領軍將軍再任加特進侍中贈開府儀同三司謚成

王冲　特進光祿大夫三任贈侍中司空謚元簡

三年　袁樞　陳郡陽夏人吏部尚書加散騎常侍進左僕射贈侍中謚簡懿

到仲舉　彭城武原人尚書左僕射封建昌侯

宣帝大建元年　陳伯信　宗室衡陽王宣惠將軍改中護軍歷西衡州刺史

陳伯謀　宗室桂陽王信威將軍加侍中歷散騎常侍

陳叔堅　宗室長沙王翊左將軍出爲江州刺史進司空

沈君理　吳興人明威將軍加左民尚書歷侍中尚書右僕射謚貞憲

毛喜　滎陽陽武人散騎常侍遷吏部尚書加侍中

禎明元年　陳叔達　宗室義陽王仁威將軍入隋爲通守

至德元年　陳叔文　宗室晉熙王宣惠將軍遷州州刺史

四年　陳叔韶　宗室岳山王智武將軍

陳叔愼　宗室岳陽王智武將軍出爲湘州刺史死義

## 隋

### 蔣州刺史

文帝開皇九年　韓洪　河東東垣人柱國攺廉州歷金紫光祿大夫

郭衍　太原介休人攺洪州總管歷光祿大夫

## 唐

### 蔣州刺史

高祖武德　盧祖尚　光州樂安人戈陽郡公遷壽州都督終瀛州刺史

### 昇州刺史

肅宗乾元元年　韋黄裳　遷浙西道節度使

二年　顏真卿　兗州曲阜人進士浙西節度使召爲刑部侍郎

侯令儀　浙西節度使尋遁劉展遂陷州金陵志載姜昌羣孫劉展僞授不書

昭宗大順元年　張雄　泗州漣水人

景福二年　馮弘鐸　泗州漣水人尋附揚行密表爲淮南節度副使

天復二年　李神福　洛州人攺淮南行軍司馬

三年　秦裴　攺洪州制置使

吳稱天祐十四年　徐溫　海州朐山人

徐知誥　徐州人溫養子遷潤州後攺尹

金陵府尹

吳睿皇楊溥順義元年　徐溫

乾貞元年 徐知詢 溫之子

徐知諤 溫之子

太和三年 徐知誥

江寧府尹

南唐烈祖徐誥昇元六年 李景遂 燕王加諸道兵馬元帥

宋 昇州知州事

太祖開寶八年 楊克讓 同州馮翊人兼水陸計度轉運使加兵部員外郎改知大名府

太宗太平興國二年 賈黃中 滄州南皮人進士禮部員外郎復任改駕部歷參知政事贈禮部尚書

劉保勳 河南人判大理事召點檢三司開折司死於軍贈工部侍郎

韓遂 樞密都承旨

雍熙元年 許驤 薊州人進士比部員外郎改江南轉運副使歷工部侍郎贈尚書

二年 源護 水部郎中改福州

端拱元年 雷有終 同州郃陽人以父廕戶部度支副使遷少府少監歷宣徽北院使檢校太保贈侍中

淳化元年 盧文正 侍御史改越州

二年 陳欽祚 潁州汝陰人權易使擢都監

五年 高象先 盧部郎中

郭異 兵部員外郎改越州

至道元年 李偉 西京作坊使改洪州

三年 宋譚 西京左藏庫使

真宗咸平元年 張繼美 西京左藏庫使

二年 呂祐之 濟州鉅野人進士給事中歷集賢院學士刑部侍郎

四年 劉知信 邢州人外戚遷東京都巡檢使贈太尉天平軍節度

景德元年 馬亮 廬州合肥人進士直史館加工部郎中

四年 張詠 濮州鄄城人進士吏部侍郎始兼江南東路安撫使贈左僕射謚忠定按宋史曹克明傳謂詠知江寧非也

大祥中符五年 薛映 蜀人進士樞密直學士改揚州歷尚書左丞判集賢院贈右僕射謚文恭

八年 馬亮 工部侍郎再任改揚州

九年 丁謂 蘇州長州人進士平江軍節度使改保信軍歷吏部尚書叅知政事

江寧府知府事

天禧二年　薛　顏　河中萬泉人進士少府監遷右諫議大夫知河南終光祿卿

年　馬　亮　兵部侍郎三任改廬州

仁宗

天聖元年　王欽若　臨江新喻人進士刑部尚書拜司空門下侍郎同平章事

王　隨　河南人進士光祿卿改給事中歷同平章事贈中書令謚文惠

三年　李　廸　趙郡人進士秘書監改兖州歷同平章事資政大學士贈司空侍中謚文定

五年　馬　亮　工部尚書四任以太子少保致仕贈右僕射謚忠肅

七年　張士遜　光化人刑部尚書定國軍節度使歷門下侍郎太傅贈太師中書令

八年　滕　涉　給事中

明道元年　李允元　光祿卿差充淮南江浙荊湖都大制置發運使

李若谷　徐州豐縣人進士集賢院學士進龍圖閣直學士知河南歷叅知政事贈太子太傅謚康靖

景祐元年　陳允中　洪州人父詹天章閣待制改揚州歷同平章事司徒贈太師謚恭

三年　張若谷　南劒沙縣人進士樞密直學士入知審官院歷尚書左承

寶元元年　盛京　右諫議大夫

康定元年　郎簡　杭州臨安人進士判刑部改揚州歷右諫議大夫終刑部侍郎贈吏部

慶曆元年　葉清臣　蘇州長洲人進士龍圖學士入爲翰林院學士贈左諫議大夫

三年　劉沆　吉州永新人進士右諫議大夫改潭州歷同平章事集賢殿大學士

楊告　漢州綿竹人由學究出身右諫議大夫改知壽州

五年　李宥　青州人進士諫議大夫右遷秘書監致仕改太子賓客

八年　張　奎　臨濮人進士右諫議大夫入判吏部歷樞密直學士

皇祐元年　張方平　南京人茂才異等端明殿學士入判流內銓歷叅知政事太子太保贈司空謚文定

三年　皇甫泌　右諫議大夫始帶提轄本路兵馬

四年　劉　湜　徐州彭城人進士權天章閣待制除戶部郎中遷龍圖閣直學士

至和元年　向傳式　開封人龍圖閣直學士工部侍郎

嘉祐　包　拯　盧州合肥人進士刑部郎中召知開封府歷樞密副使贈禮部尚書謚孝肅

二年　王　琪　成都華陽人進士工部郎中龍圖閣待制累加樞密直學士

三年　梅　摯　成都新繁人進士右諫議大夫改知河中

五年 王珙 工部郎中知制誥再任
馮京 鄂州江夏人龍圖閣待制名爲翰林侍讀學士歷參知政事贈司徒謚文簡
七年 魏琰 歙州婺源人父廕司農卿名判刑部進衛尉卿
郭申錫 魏縣人進士直史館進天章閣待制歷給事中
王贄 左諫議大夫
英宗
治平元年 彭思永 廬陵人進天章閣待制名爲御史中丞終戶部侍郎
三年 呂溱 揚州人進士右諫議大夫歷樞密直學士贈禮部侍郎
龔鼎臣 鄆州須城人進士集賢殿修撰名判太常兼禮儀事歷正議大夫
四年 王安石 撫州臨川人進士知制誥名爲翰林學士歷同平章事

孫思恭　鄧州人進士天章閣待制改鄧州

神宗

熙寧元年　吳中復　興國永興人進士龍圖閣直學士歷知成德軍

二年　錢公輔　常州武進人進士兵部員外郎改揚州

四年　沈起　明州鄞縣人進士兵部員外郎入知吏部流內銓

五年　傅堯俞　鄆州須城人進士兵部員外郎改許州歷中書侍郎謚獻簡

六年　沈立　歷陽人進士右諫議大夫改宣州

七年　王安石　觀文殿大學士再任轉吏部尚書

八年　葉杓　祠部郎中直史館

九年　王安石　鎮南軍節度使同平章事三任改集禧觀使復拜左僕射觀文殿大學士加司空

十年 元積中 司封郎中改洪州

呂嘉問 河南人以廕司封員外郎改潤州歷龍圖閣學士

元豐元年 孫昌齡 都官員外郎

元積中 太常少卿再任

三年 孫坦 刑部郎中天章閣待制

劉庠 彭城人進士龍圖閣直學士改知滁州歷樞密直學士

五年 陳繹 開封人進士龍圖閣待制貶建昌軍奪職復大中大夫

六年 王益柔 河南人父廕龍圖直學士秘書監改應天

七年 王安禮 撫州臨川人進士端明殿學士加資政殿學士贈右銀青光祿大夫

楚建中 洛陽人進士天章閣待制改成德軍進正議大夫

哲宗元祐元年蔡卞 興化仙遊人進士龍圖閣待制改揚州歷少保開府儀同三司追貶團練副使

四年林希 福州人進士集賢殿修撰歷吏部尚書同知樞密院

熊本 饒州鄱陽人進士龍圖閣待制改洪州

六年謝麟 建州甌寧人進士直龍圖閣改鳳翔

黃履 邵武人天章閣待制改應天歷資政殿學士尚書右丞

七年陸佃 越州山陰人進士龍圖閣待制歷尚書左丞

八年曾肇 南豐人進士吏部侍郎改瀛州歷翰林學士謚文昭

曾布 南豐人戶部尚書留爲學士承旨歷右僕射兼門下侍郎

紹聖二年何正臣 臨江新淦人進士刑部侍郎

三年 呂惠卿 泉州晉江人進士歷觀文殿學士以醴泉觀察使致仕

四年 陳軒 建州建陽人進士龍圖閣待制改潁昌歷兵部侍郎龍圖直學士

元符二年 呂升卿 直秘閣

三年 葉濤 處州龍泉人進士中書舍人歷給事中龍圖閣待制

陶節夫 饒州鄱陽人進士龍圖閣學士改知靑州歷樞密直學士

徽宗

建靖中國元年 鄧祐甫 直秘閣

崇寧元年 陳祐甫 直秘閣

二年 朱彥 宣德郎

王漢之 衢州常山人進士顯謨閣直學士

四年 徐勣 宣州南陵人進士徽猷閣待制歷顯謨閣學士贈資政殿學士

五年 蔣靜 常州宜興人進士顯謨閣待制改睦州歷直學士歷禮議大夫

姚祐 浙江長興人進士顯謨閣待制復爲殿中監進直學士歷禮部尚書贈特進謚文僖

范坦 河南人進士集賢殿修撰改洪州歷戶部侍郎

曾孝蘊 泉州晉江人集賢修撰歷龍圖閣學士贈通議大夫

二年 盧航 龍圖閣待制

三年 沈錫 真州揚子人由舅廕徽猷閣待制改知海州歷通議大夫贈宣奉大夫

曾孝序 泉州晉江人父廕集賢修撰歷延康殿學士

政和元年 薛昂 杭州人進士尚書左丞改河南歷資政殿大學士

三年 吴栻 直龍圖閣

四年　盧航　龍圖待制再任

六年　蔡嶷　開封人進士龍圖閣直學士召爲翰林院學士承旨後安置房州

八年　俞㮚　溧水人進士述古殿直學士

張莊　應天府人進士進徽猷閣直學士贈宣奉大夫

宣和元年　王漢之　再任加龍圖閣直學士進延康殿

五年　盧襄　徽猷閣待制改湖州

欽宗靖康元年　曾孝序　龍圖閣直學士再任改青州累進徽猷閣學士死節贈光祿大夫謚威愍

宇文粹中　資政殿學士

二年　李彌遜　蘇州吳縣人進士江東運判領改淮南運副歷徽猷閣直學士

翁彦國　寶文閣直學士兼江東安撫使馬步軍都總管充經制使

趙明誠秘閣修撰仍兼江南東路經制使改湖州

高宗建炎二年黃潛善邵武人進士觀文殿大學士尋黜居衢州

建康府知府事

三年呂頤浩齊州人同簽樞密院事安撫制置使拜尚書右僕射同平章事

連南夫德安人顯謨閣直學士歷廣東轉運使

湯東野工部侍郎改提舉應副六宮事

胡舜陟徽州績溪人進士徽猷待制充沿江都置使終廣西經畧使

杜充相州人進士尚書左僕射江淮宣撫使叛降金

陳邦光顯謨直學士叛降金

四年趙嵲徽猷閣待制兼兵馬鈐轄安撫使都總管改提舉洞霄宮

權邦彥　河間人登上舍第寶文閣直學士改江淮等路制置發運使召爲兵部尚書參知政事

紹興元年　張縝　直寶文閣改饒州

葉夢得　蘇州吳縣人進士資政殿學士江東安撫大使兼六州宣撫改臨安

李光　端明殿學士安撫大使六州宣撫改湖州歷參知政事謚莊簡

趙鼎　解州聞喜人進士端明殿學士改洪州歷同平章事兼樞密使贈太傅謚忠簡

三年　歐陽懋　徽猷閣待制

沈晦　錢塘人進士歷徽猷閣直學士

呂祉　建州建陽人上舍釋褐直龍圖閣主管江東安撫司事召爲中書門下檢

正文字歷兵部尚書

五年　葉宗諤　直秘閣兼主管安撫司進福建運運使

七年　張澄　直龍圖閣兼主管安撫司改臨安

呂頤浩　少傅江東安撫制置大使行宮留守再任贈太師謚忠穆

八年　章誼　建州浦城人進士端明學士安撫大使兼留守

葉夢得　安撫制置大使兼留守再任加觀文殿學士改福州贈檢校少保

十三年　孟忠厚　洛州人外戚樞密使兼安撫制置大使改判紹興歷保寧節度使贈太保

十四年　張守　常州晉陵人進士資政殿學士兼安撫制置大使謚文靖

十五年　晁謙之　敷文閣直學士兼安撫使

十八年　鄭滋　顯謨閣學士

十九年　俞侯　敷文閣直學士改紹興

王聃　直秘閣主管安撫司改宣州

二十三年　揚愿　進士賁政殿學士

二十三年　王循友　右朝散郎兼主管安撫司

二十四年　宋晛　敷文閣直學士改平江

二十六年　張燾　饒州德興人進士寶文閣學士兼留守

王綸　郡人進士賁政殿大學士兼留守贈光祿大夫謚章敏

三十一年　張燾　賁政殿學士再任遷同知樞密院叅知政事謚忠定

張浚　漢州綿竹人進士觀文殿大學士兼留守尋節制軍馬除少傅江淮宣撫使歷平章事兼樞密使贈太師謚忠獻

三十二年　陳俊卿　興化人進士江淮宣撫判官除禮部侍郎參贊軍事

孝宗

隆興元年　陳之茂　直徽猷閣兼管安撫司

二年　張孝祥　歷陽烏江人進士直學士院改敷文閣待制歷顯謨直學士

呂　擢　直徽猷閣兼安撫

乾道元年　汪　澈　新安人進士除樞密使贈金紫光祿大夫謚忠敏

王　佐　直寶文閣改平江

二年　陳俊卿　再任授吏部尚書歷左僕射同平章事加樞密使

陳之茂　徽猷閣直學士再任

李　植　泗州臨淮人鄉舉直寶文閣轉運使兼安撫留守以寶文閣學士致仕謚忠襄

方　滋　敷文閣待制

三年　史正志　集賢殿修撰兼松江水軍制置使敷文閣待制改成都

六年　唐　瑑　秘閣修撰改太府卿淮東總領

七年　洪　遵　番陽人進士端明殿學士安撫使兼留守進資政學士謚文安

八年　梁克家　泉州晉江人進士觀文殿大學士歷右丞相贈少師謚文靖

淳熙元年　葉　衡　婺州金華人進士敷文閣學士兼管內勸農營田使進尚書歷右承相兼樞密使

胡元質　龍圖閣待制

二年　劉　珙　建州崇安人進士資政殿大學士安撫留守進觀文學士贈光祿大夫謚忠肅

五年　陳俊卿　再任兼安撫除少保進少
師致仕贈太保謚正獻
八年　范成大　吳郡吳縣人進士端明殿學士進資
政殿尋擢大學士贈少師謚文穆
十年　錢良臣　端明殿學士
進資政殿
章　森　敷文閣待制安撫使
進顯謨閣改江陵
光宗紹熙二年　余端禮　衢州龍游人進士煥章閣學士召拜
吏部尚書歷右丞相少保贈太傅謚
忠肅
四年　鄭　僑　顯謨閣待制
進龍圖閣學士
張　杓　漢州綿竹人以父廕
徽猷閣待制改襄陽
留　正　泉州永春人進士少師觀文殿大學
士落職後復少師大學士贈太師謚
忠宣

葛邲　丹陽人進士觀文殿大學士改
隆興歷少保贈少師謚文定

謝深甫　台州臨海人進士煥章閣待制改御
史中丞兼侍讀歷右丞相少傅謚忠
正

寧宗慶元元年　張杓　寶文閣學士再任
進龍圖閣知隆興

三年　趙彥逾　宗室進士資政殿學士改
四川安撫制置知成都

張杓　端明殿學士三任

四年　錢象祖　臨安人華文閣學士改徽
猷閣歷左丞相兼樞密使

六年　吳琚　開封人外戚少師兼留守鎮
安軍節度使開府儀同三司

嘉泰二年　李林　徽猷閣學士安
撫使改寶文閣

四年　丘崈　江陰軍人進士敷文閣學士
兩淮宣撫改簽書樞密院事

開禧二年　葉　適　温州永嘉人進士寶謨閣待制兼沿江制置使進寶文閣兼江淮歷寶文學士贈光祿大夫謚忠定

楊　輔　遂寧人進士龍圖閣待制置兼江淮制置使謚莊惠

二年　徐　誼　温州人進士寶謨閣待制兼制置使改知隆興謚忠文

丘　崈　資政殿學士再任改江淮制置大使遷同知樞密院事謚忠定

嘉定元年　何　澹　處州龍泉人進士觀文殿學士江淮制置大使移湖北兼知江陵贈少師

三年　黃　度　紹興新昌人進士龍圖閣待制兼制置使遷寶謨直學士進進禮部書兼侍讀

六年　劉　榘　寶文閣待制進權工部尚書

八年　李大東　端州四會人右文殿修撰管安撫司

十年　李珏　寶謨閣學士制置安撫使進封開國伯

十二年　李大東　顯謨閣待制安撫使再任改寶文閣制置使封開國伯累加顯謨直學士

十五年　俞嶸　龍游人煥章閣待制制置安撫使歷工部尚書

蔡幼學　溫州瑞安人進士龍圖待制改福州進權兵部尚書兼太子詹事

# 理宗

寶慶元年　丘壽邁　直煥章閣江東轉運副使改司農少卿

三年　趙善湘　宗室寶章閣待制制置使累進兵部尚書歷觀文殿學士贈少卿

紹定六年　李壽朋　試大理卿安撫兼制置使

吳潛　溧水人進士太府卿兼權制置安撫留守除秘撰都承歷右承相贈少師

端平元年　陳韡　福建侯官人進士歷煥章學士安撫兼留守加制置大使知樞密院贈少師謚忠肅

曾從龍　泉州晉江人進士資政殿大學士制置兼留守歷知樞密院贈少師

嘉熙二年　別之傑　郢州人進士寶謨直學士制置使安撫使加兵部尚書歷參知政事贈少師

淳祐四年　杜杲　邵武人父蔭華文閣學士制置使留守進敷文閣學士遷刑部尚書贈開府

董槐　濠州定遠人進士集英殿修撰制置安撫留守改知靜江歷右承相兼樞密使贈太子少師謚文靖

五年　趙以葵　宗室寶章閣待制制置安撫兼屯田使

七年　趙葵　長沙人樞密使兼參知政事留守安撫使進右承相兼樞密使

九年　吳淵　溧水人進士端明殿大學士制置安撫使累封金陵公陞資政殿大學士

寶祐二年 王埜 金華人進士制置安撫二郡屯田行宮留守歷簽書樞密院事

丘岳 寶文閣直學士節制二郡屯田使

三年 馬光祖 婺州金華人進士寶章閣直學士制置安撫兼留守節制屯田累加端明殿學士改知江陵

六年 趙與𥲅 宗室進士觀文殿學士制置安撫馬步軍總官兼留守節制屯田改兼知揚州

開慶元年 馬光祖 資政殿學士制置大使再任進大學士知臨安

姚希得 潼川人進士華文閣直學士制置安撫留守累加刑部尚書歷參知政事贈少保

趙葵 沿江江東宣撫使再任兼留守尋授江東西宣撫歷少師贈太傅謚忠靖

五年　馬光祖　三任拜叅知政事進知樞密院以金紫光祿大夫致仕謚莊敏

度宗咸淳五年　吳　革　寶文閣直學士制置安撫留守

七年　黃萬石　沿江制置使改兼留守尋遁

九年　趙　溍　長沙人制置使兼留守尋遁

建康路總管兼府尹

端宗景炎二年　徐旺榮　元至元十四年驃騎上將軍

元

世祖至元十八年　李　一云名士元中順大夫

二十三年　李仲信

二十五年　阿忽蘭不花　嘉議大夫

二十九年　札剌兒百家奴　父廕中奉大夫遷鎮江路

三十年　宋廷秀

成宗元貞二年　廉希哲　中議大夫

大德四年　獨吉禮　少中大夫

七年　陳元凱　蜀人

九年　侯珪

十年　岳天禎　大名冠氏人父廕懷遠大將軍元史附天禎於其父存傳一統志遂謂存爲建康誤矣

仁宗皇慶元年　王瑛　正議大夫

劉智

延禧六年　昝子良

英宗至治二年　任居敬

泰定帝泰定二年　必實溫沙班大中大夫

二年　那懷中順大夫

集慶路總管

文宗天曆二年　啖　任泰議大夫

至順元年　郭朶兒伯臺

順帝至元四年　完者禿通議大夫

至正元年　張塔海帖木兒中議大夫

江寧府志卷之十四終

江寧府志卷之十五

歷官表中

明

應天府知府　同知

高帝國初王子謙　蘭以權洪武三年七月陞本府知府

楊元杲直隸滁州薦舉

洪武三年夏仲信

應天府府尹　府丞

蘭以權知府改

四年鄭沂

五年張遇林　高舉直隸鳳陽

八年　尚　寶

九年　劉　仁　湖廣武昌初爲兵部尚書尋改左通政

李　拳　山西徐溝

梁伯興　江西永豐

徐　鐸　陞戶部尚書

曹廷訓　河南靈寶薦舉

十三年　班用吉　河間薦舉歷刑部尚書

曾朝佐

十四年　寇　徵

十八年　高守禮　河南洛陽

孫　鳳 年無考　　馮昭克

二十年　尹　寶　　康惟善 山西河津

李　德 山西徐溝孝廉

二十三年　林　衡 福建莆田

二十四年　高守禮 河南洛陽　　王公亮 治中陞

二十五年　宋　翊 陝西膚施

建文帝

建文元年　向　瑄 江西進賢進士通政使司

四年　張遇林

文帝

永樂元年　　張執中 山西靈石貢贈府尹

二年　向　瑄 再任歷副都御史兼詹事

姚　恕　江西廬陵貢

五年　夏思忠　直隸高郵儒士

八年　汪　翔　直隸徽州　　張　元　山西靈石

十年　紀　正

十一年　于　潛　河南鄢陵

十五年　陳　福　直隸宿州貢

十六年　李　秀　湖廣

十八年　顧　佐　河南太康進士歷左都御史贈少保

二十年　薛　均　湖廣蘄水薦舉

二十一年　向　琁　左　洋直隸涇縣貢

昭帝洪熙元年　紀　正再任

章帝宣德元年　王　鐸

四年　黄　茂湖廣桂東貢

張　璘湖廣黄岡進士

七年　史　怡　趙公器直隸上海

十年　鄺　埜湖廣宜章進士歷兵部尚書贈少保

睿帝正統元年　陳　俊浙江東陽進士

三年　陳　俊府丞陞

五年　檀凱　直隸建德進士

六年　李敏　直隸新安舉人歷戶部尚書

十年　蔡錫　浙江鄞縣舉人

景帝

景泰元年　馬諒　直隸和州進士陞戶部侍郎　陳宜　江西泰和進士歷兵部左侍郎

二年　王弼　江西鄱陽進士　劉洙　江西貴溪進士

七年　郭士道　江西萬安

純帝

成化元年　冉哲　四川內江進士

四年　畢亨　河南河南衛進士陞副都

御史

九年　彭信　浙江仁和進士　白昂　直隸武進進士歷刑部尚書贈

十年　魯崇志　浙江天台進士陞副都御　太保

史

十二年　談倫　直隸上海進士

十九年　張達　江西泰和進士

楊守隨　浙江鄞縣進士

二十二年　于冕　浙江錢塘人父肅愍謙蔭

錦衣乞改文職

敬帝弘治元年　楊守隨　府丞陞歷工部尚書

二年　冀綺　直隸寶應進士

三年　秦崇　山東單縣進士

五年　樊瑩　浙江常山進士歷南刑部尚書贈太子少保

八年　冀綺　府丞陞　高敞　直隸崑山進士

十年　高敞　府丞陞

十一年　韓重　山西絳縣進士　呂獻　浙江新昌進士歷兵部侍郎

十四年　吳雄　浙江仁和進士

十五年　李堂　浙江鄞縣進士

毅帝正德元年　陸珩　浙江歸安進士

二年 沈銳 浙江仁和進士

三年 黃寶 湖廣長沙進士陞副都御史

四年 常麟 浙江嘉興進士陞南禮部侍郎 王彥奇 四川雲陽進士僉都御史改

周宏 浙江德清 楊旦 福建建寧進士歷吏部尚書

五年 丁鳳 直隸蠡縣進士歷兵部侍郎 陳玉 山東沂州進士歷都御史

六年 孫春 河南尉氏進士 尹梅 直隸靈壽進士

七年 張淳 直隸合肥進士歷副都御史

史

八年　歐陽旦江西安福進士

九年　白圻直隸武進進士陞副都御史　趙斌陝西平凉衛進士

十年　黃瓚直隸儀真進士歷南兵部侍郎

十一年　王宸神武右衛進士

十二年　龔弘直隸嘉定進士陞副都御史

十四年　胡宗道陝西扶風進士　寇天叙山西榆次進士歷副都御史

十六年 王震 直隸刑臺進士

肅帝嘉靖元年 唐鳳儀 湖廣蘄州進士陞僉都御史

二年 聞淵 浙江鄞縣進士歷吏部尚書贈少保

三年 王爌 浙江黃巖進士歷南院右都御史

七年 陳錫 廣東南海進士 楊璨 直隸華亭進士

八年 陳良器 浙江仁和進士 柴奇 直隸崑山進士

陳鼎 山東登州進士

十年 江曉 浙江仁和進士

十一年　邊憲　直隷任丘進士

十二年　柴奇　府丞陞

郭登庸　浙江山陰進士陞僉都御史

江曉　再任歷工部左侍郎贈尚書

十五年　吳山　直隷吳江進士歷刑部尚書

十六年　孫懋　浙江慈谿進士贈副都御史

楊麒　江西上饒進士陞光祿卿

十九年　戴金　湖廣漢陽進士歷兵部尚書

朱隆禧　直隷崑山進士歷尚書

陳卿　四川宜賓進士

李舜臣　山東樂安進士

二十年　袁擯　山東德州進士

二十一年　戴儒　江西德興進士陞副都御史

二十二年　吳瀚　直隸吳縣進士　王學益　江西安福進士陞僉都御史

二十三年　洪珠　福建莆田進士　李鏞　山西曲沃進士

二十四年　歐陽塾　江西泰和進士

二十五年　蔣應奎　直隸江都進士歷兵部侍郎

二十七年　何鰲　浙江山陰進士歷刑部尚書

二十九年　呂顓　陝西寧川進士　胡叔廉　江西新淦進士

三十年　鄭　漳　福建懷安進士陞刑部侍郎

三十一年　歐陽塾　再任陞南京工部侍郎　李　珊　湖廣衢州衛進士

三十二年　邑永通　山東曹縣進士改順天

三十三年　李　珊　府丞陞　凌汝志　直隸常熟進士

三十四年　汪宗元　湖廣崇陽進士歷通政使　俞　時　河南光州進士歷南戶部侍郎

三十五年　葉　鏜　江西上饒進士陞刑部侍郎

三十八年　鮑道明　直隸歙縣進士歷南戶部尚書　徐　綱　湖廣興國進士歷工部左侍郎

三十九年　呂光洵　浙江新昌進士歷兵部尚書

四十年　呂時中　直隸清豐進士歷戶部郎

孟淮　河南祥符進士

四十二年　魏尚純　湖廣鈞州進士歷南工部尚書

羅嘉賓　四川宜賓進士

唐寬　山西平定進士

四十三年　劉自強　河南扶溝進士歷刑部尚書

四十四年劉望之四川內江進士

王鶴陝西長安進士

四十五年李一瀚浙江僊居進士陞副都御史　徐應浙江蘭谿進士陞南太僕卿都御史

莊帝隆慶元年譚大初廣東始興進士歷戶部尚書

畢鏘直隸石埭進士任南戶部尚書

二年史朝賓福建晉江進士陞鴻臚卿

三年朱繪山西平定進士

四年　周　叔　四川成都進士　丘有嵩　福建晉江進士

五年　鄔　璉　江西新昌進士歷副都御史

六年　杜　拯　江西豐城進士歷工部左侍郎　楊　標　江西清江進士

陶承學　浙江會稽進士任刑部左侍郎

顯帝萬曆二年　楊　成　直隸長州進士任工部侍郎

汪宗伊　湖廣崇陽進士任南戶部

侍郎

三年　吳文華 福建連江縣人由進士河南左布政使未任尋陞右副都御史巡撫廣西　雷稽右 山東恩縣進士

四年　程嗣功 直隸歙縣進士任南戶部侍郎　陸樹德 直隸華亭進士

六年　陳于陛 直隸曲周縣進士　辛自脩 河南襄城縣進士

| | | | | |
|---|---|---|---|---|
| 七年 | 陰武卿 | 四川內江縣進士 | 曹大埜 | 四川巴縣人由進士 |
| 八年 | 方良曙 | 直隸徽州府歙縣人由進士 | 李　己 | 河南磁州人由進士 |
| 八年 | 劉志伊 | 浙江寧波府慈谿縣人由進士任陞大理寺卿 | 董堯封 | 河南洛陽縣人由進士 |
| 九年 | 劉　庠 | 湖廣鍾翔縣人由進士任陞貴州巡撫副都御史 | | |
| 十年 | 游季勳 | 江西豐城縣人由進士 | | |
| 十一年 | 吳　善 | 福建龍溪縣人由進士任陞廣西巡撫 | 杜友蘭 | 四川保寧府閬中縣籍南部縣人由進士 |

十二年　顧章志　直隸太倉州籍崑山縣人由進士任陞南兵部侍郎

十三年　袁三接　廣東香山縣人由進士任

孫丕揚　陝西富平縣人由進士任　張　櫝　江西新城縣人由進士任

石應岳　福建龍岩縣人由進士任

十五年　許孚遠　浙江德清縣人由進士任

十六年　張　櫝　陞府丞　周希旦　直隸旌德縣人由進士任

十七年　陳文燭　湖廣沔陽州人由進士任　王執禮　直隸崑山縣人由進士任

十八年　鄧仲祿　四川奉節縣人由進士任　郭惟賢　福建晉江縣人由進士任

十九年　楊廷相　福建晉江縣人由進士任　苗朝陽　山西河曲縣人由進士任

| | | |
|---|---|---|
| 二十年 | 程拱宸 福建莆田縣人由進士任 | |
| 二十一年 | | 楊時喬 江西上饒縣人由進士任 |
| | | 沈桐 浙江歸安縣籍烏程縣人由進士任 |
| 二十二年 | 張孫繩 廣西桂林縣人由進士任 | |
| 二十三年 | | 衛承芳 四川達州人由進士任 |
| 二十五年 | | 支可大 直隸崑山縣人由進士任 |
| 二十六年 | 熊惟學 江西南昌縣人由進士任 | 張朝瑞 直隸海州人由進士任 |
| 二十七年 | | 徐申 直隸長洲縣人由進士任 |
| 三十一年 | 趙欽陽 山西解州人由進士任 | |

三十三年　徐申　由府丞陞

三十四年　劉學曾　河南光山縣人由進士任

衛一鳳　山西陽城縣人由進士任

三十七年　王一乾　江西太和縣人由進士任

三十九年　陸長庚　浙江平湖縣人由進士任

四十年　實心任事設總里巡守免民間諸累

四十一年　汪道亨　直隸懷寧縣人由進士任

王一言　江西南城縣人由進士任

四十二年　黃承元　浙江秀水縣人由進士任

四十三年　嚴一鵬　直隸吳縣籍無錫縣人由進士任

四十四年　姚思仁　浙江秀水縣人由進士任

四十七年 鄭璧 四川内江人由進士任

四十八年 王三才 浙江蕭山縣人由進士任

貞帝泰昌元年 徐必達 浙江嘉興縣人由進士任

哲帝天啟元年 鄭璧 由府丞陞

黃運泰 河南永城縣人由進士任

二年 桑學夔 山東濮州人由進士任

三年 畢懋良 直隸歙縣人由進士任

四年 魏説 湖廣蒲圻縣人由進士任

五年 談自省 直隸丹徒縣人由進士任

陳一元 福建侯官縣人由進士任 守正不阿以忤魏璫去官

六年 李逢節 直隸吳江縣人由進士任 風采重于一時

陞南工部侍郎

祝以豳　浙江海康縣人由進士任

祝以豳　由府丞陞

七年　周維京　福建晉江縣人由進士任

端帝

崇禎元年　黃景華　浙江鄞縣人由進士任

周爾發　福建同安縣人由進士任　清正寬仁獎拔多士甚著政聲

二年　詹士龍　江西豐城縣人由進士任　居官清慎不輕難一詞不濫差人

三年　莊欽鄰　福建晉江縣人由進士任　果於任事培植學校士林德之

五年

八年　劉之鳳　河南中牟縣人由進士任

李覺斯　廣東東莞縣人由進士任

九年　王心一　直隸長洲縣人由進士任

十年　王心一　由府丞陞

十一年 劉餘佑 北直宛平縣人由進士任　徐石麒 直隸青浦縣人由進士任

十二年 戈允禮　錢士貴 直隸青浦縣人由進士任

十三年 楊芳盛 雲南鶴慶府人由進士任　張瑋 直隸武進縣人由進士任

十四年

十五年 祁逢吉 直隸金壇縣人由進士任　金蘭 浙江紹興府人由進士任

十六年 劉士禎 江西萬安縣人由進士任　郭維京 江西進士

十七年 王廷梅 直隸松江府人由進士任　鄒之麟 直隸常熟縣人由進士任

瞿式耜 直隸常熟縣人由進士任

王鼎振 河南進士

| 明 | 治中 | 通判 | 推官 |
| --- | --- | --- | --- |
| 洪武 | 王公亮 陞府丞 | 高英 浙江嘉興貢 | 劉艮 直隸高郵人材 |
| | 林邃 | | 王安 |
| 永樂 | 劉誠 湖廣襄陽貢 | 張倫 直隸滁州貢 | 馬俊 湖廣襄陽貢 |
| | | 黄懋 直隸元氏進士 | 金玉 湖廣沅洲人 |
| 宣德 | 田翥 | 李通 | 王麟 |
| | 檀凱 陞府丞 | 黄祜 福建邵武貢 | |
| | 高應 福建福州人 | | |
| 正統 | 周澄 浙江秀水舉人 | 朱昂 直隸無爲舉人 | 姜原性 |
| | | 董貫 山東濟寧舉人 | |

景泰　沈孟範浙江仙居貢　黎亨　張志

天順　劉因直隸鹽山貢　藺馨四川簡縣貢　潘勉雲南太和舉人

成化　葉泰湖廣江陵貢　林春浙江寧海舉人　彭隆廣西宣化舉人

張春直隸真定進士　許儼浙江淳安舉人　李繡直隸新樂貢

米文山西平定舉人　宋珩陝西安塞舉人　王淵浙江山陰進士

邊寧山東歷城舉人　王章直隸保定貢　李文雲南金齒司舉人

王淵推官陞　張順陝西咸寧舉人　歐陽伸廣西馬平舉人

劉鳳直隸趙州貢

弘治　彭鎬　蔣苓浙江長興舉人　尤伸順天大興舉人

張雄山東范縣進士　范昌齡浙江天台舉人　堵昇浙江山陰進士

劉奎 順天宛平舉人　程安 直隸定邊衛舉人　何椲 直隸泰興舉人

邢昊 直隸華亭舉人　戴昊 廣東南海舉人

王恩 湖廣衡陽官生　張逵 山西蒲州舉人

祝允明 直隸長洲舉人

正德

謝驥 江西新建官生　鄭濬 直隸平山進士　徐海 浙江常山進士

楊廷用 四川宜賓舉人　周京 廣東新會舉人　王昻 四川廣安進士

吾翕 浙江開化進士　趙儀 雲南太和舉人陞知州

張海 福建閩縣舉人

秦偉 直隸無錫舉人

童蒙正 四川銅梁舉人

夏元 濟川衛舉人陞府同知

嘉靖

陳嘉謨 福建長樂進士
呂言 浙江秀水官生
陳廷璉 廣東增城縣人

王誥 順天保定舉人
張弁 山西代州進士
郭重 河南武安舉人

章諍 直隸太湖舉人
于淳 河南洛陽舉人
胡洲 河南舉人

王卿 直隸真定舉人
楊自勤 河南新鄭舉人
陸應寅 直隸華亭舉人

葉遇春 直隸太倉進士陞郎中
張珊 江西吉水舉人
錢兊 直隸當塗舉人

劉逸
羅節卿 廣東南海舉人

閻倖 陝西龍州舉人
戴高 福建舉人陞知州
程學顔 湖廣孝感舉人

龐嵩 通判陞知府
龐嵩 廣東南海舉人陞太僕丞

丘道明 福建上杭貢陞長史
包湘 浙江寧海貢
韓珊 湖廣光化舉人陞通判
查秉直 浙江海寧舉人
桂載 江西安仁官生
張夢斗 福建懷安舉人
余鋐 江西鉛山舉人
張峰 江西泰和舉人
李渭 貴州思南舉人歷左參政
汪宗之 江西貴溪舉人
周弘毅 湖廣麻城舉人
馮秉彝 浙江慈谿舉人
閔宜劭 浙江烏程舉人
劉慾 江西萬安舉人歷員外

李思悅　廣東海陽進士歷郎中

隆慶

孫克弘　直隸華亭官生陞知府　羅鳳翔　山西蒲州舉人歷郎中　陳思忠　福建莆田進士陞郎中

王簡　直隸趙州官生　蔡茂春　順天三和進士歷郎中　文階　四川南充進士

包大燿　浙江鄞縣進士陞郎中　陳治安　貴州宣慰司進士陞主事　朱大年　直隸華亭舉人

潘子雨　德府群牧所舉人歷知府　趙鉞　福建長汀舉人陞主事　周恪　直隸太平舉人調順德

譚文顯 直隸太平舉人陞知州

萬曆

馬棨 直隸通州官生

尹彥 浙江僊居舉人

詹世用 江西弋陽進士陞大理評事

江埏 浙江仁和官生歷知府

王子順 河南振武衛舉人陞府同知

羅繡藻 貴州籍江西廬陵舉人陞南京都察院經歷

黃喬棟 福建晉江官生陞知府

李文餘 福建平和進士

泰致恭 廣西靈川進士陞南太僕丞

胡梗 直隸滁州官生

馮行可 直隸華亭舉人

張程 江西安福進士陞工部主事

浦朝柱 山東登州官生

張照　直隸華亭縣人由官生

莊希聖　廣東潮州府人由舉人

蕭元岡　江西泰和舉人　陞南京刑部主事

張邦伊　浙江鄞縣人由官生

冼堯相　廣東廣州府人由官生

甘一鳳　江西南昌舉人　陞南京刑部主事

張伯謙　江西進賢縣人由官生

易道源　廣東廣州府人由官生

王峯　山西代州人由官生

曾卜　直隸江都縣人由官生

趙日崇　福建晉江舉人　陞南京刑部主事

殷三禮　山東東阿縣人由官生

孟醇　山東青城縣人由舉人

謝城　湖廣巴陵縣人由官

梅一九　四川墊江舉人

生

錢應斗 浙江餘姚縣人由舉人

何躍龍 貴州籍湖廣大冶舉人

陳忠 直隸歙縣人由官生

郭原賔 江西萬安縣人由官生

高光 四川瀘州人由舉人

介夢龍 山西解州舉人

彭憲范 福建莆田縣人由舉人陞南京戶部主事

馬永亨 陝西韓城縣人由舉人

焦藩 陝西盩厔縣人由舉人

林之盛 浙江錢塘舉人

夏尚金 湖廣常德衛籍

山東滕縣人由舉人

張必振 山東諸城縣人由舉人

周于蕃 湖廣蒲圻舉人

錢秉元 直隸蘇州府吳

邵兼 直隸休寧縣人由舉

縣人由　　人
官生

鄭心材 浙江秀水縣籍海鹽縣人由官生

滕萬里 福建甌寧縣人由官生

劉衣錦 山東觀城舉人陞南京戶部主事

李棠 福建平和縣人由舉人

袁世振 湖廣蘄州人由進士

滕萬里 復任

雷叔文 湖廣江陵舉人陞雲南景東府同知

許在廷 河南固始縣人由舉人

萬獻策 陝西咸寧縣人由舉人

李棠 福建同安縣籍漳州人由舉人

陳如錦 河南永城縣人由舉人

杜冠時陝西安華縣人由恩選貢　陳鍾衡福建莆田縣人由官生

呂恒山東德州人由舉人　汪起英直隸休寧縣人由舉人

陳豸廣東順德縣人由舉人　沈景夔廣東陵州人由貢生

陳夢璿福建晉江縣人由官生　王道元莆田人由舉人

申用嘉浙江烏程縣人由舉人　房楠浙江宛平人由進士

王命德　貴州人由舉人

李弘禎　陝西西安府三原縣人由舉人

趙其昌　順天永清縣人由舉人

蘇一禎　河南祥符縣人由官生

徐樹藩　直隸常州府人由官生

沈埏卿　浙江歸安縣人由官生

沈循　浙江仁和縣人由官生

余若南　河南衛輝府官籍陞南京刑部山西司主政

寇遵典　陝西西安舉人陞戶部貴州司主事

徐承烈　浙江鄞縣舉人陞刑部貴州司主事

于重慶　直隸金壇進士

陞工部營繕司主事

彭期生　浙江海鹽進士陞南京兵部職方司員外郎

胡奇偉　江西進賢進士陞南京兵部職方司主事

董梅鼎　廣東人由舉人

大清順治二年改應天府爲江寧府改府尹爲知府改府治中爲同知

知府　同知　通判　推官

世祖章皇帝

順治二年　李正茂直隸宛平縣人由拔貢　江防范承祖遼東瀋陽衛人由貢生　糧捕張仲陝西甘泉縣人由貢生　王質上蔡人由進士

三年　鹽捕劉旐遼東瀋陽衛人由貢生　楊君正東昌人由進士

四年　林天擎遼東蓋州衛人由拔貢　船政李策鼎河南歸德府人由貢生此　糧捕張著直隸順天府人由貢生　楊毓蘭新鄉人由進士

五年

六年　張錦山西翼城縣人　缺鹽七年奉捕裁　紀汝爕直隸　陳適度蒲州

由舉人
馬政　周廷鳳　四川保慶府人由舉人
霸州人由貢生
人由進士

七年
南捕　尚衍　山西蒲州人由舉人
李上林　商丘人由進士

八年

九年　邊維隆　直隸任丘縣人由舉人
馬政　張性　山東掖縣人由貢生此缺七年奉裁
南捕　王擢之　山東齊東縣人由貢生
錢肅凱　鄞縣人由進士

十年　李持　四川江津縣人古道自重望隆一時
管糧　傅覲光　山東曹縣人由生員
水利　張邦和　遼東遼陽衛人由貢生
董國棟　莆田人由進士

十一年　孟元　河南祥符縣人由恩貢
江防　趙廷臣　遼東鐵嶺衛人由恩
田薰　西安府人由進士

十二年　何中舉　遼東瀋陽
管糧　趙元明　陝西
閻調鼎　平陽

衛人由貢生　貢　城固縣人由官　府人進士
十三年　督鑄　張武烈　山東　監　謝銓　建寧人由
十四年　李儁　直隸永年縣人　平度州人由貢　管糧　尹際寅　湖廣　進士
由舉人　生　漢陽府人由貢　康熙六年
十五年　督鑄　郭鳴鳳　直隸　生　奉裁
十六年　高培元　直隸肅寧　任丘縣人武進　督捕　唐虞泰　遼東
縣人由生員　士　廣寧衛人由貢
十七年　徐恭　遼東鐵嶺衛人　督鑄　唐萬齡　淮安　生
由廩生　府人由水　貢生　利　顧言　宣鎮萬全
十八年　張羽明　遼東寧遠　督鑄　溫啓知　陝西　衛人由貢生

人由舉人

劉晃　河南祥符縣人由官監

今皇帝康熙元年

二年　陳開虞　陝西西安府人由生員

督鑄　崔鹿鳴　遼東廣寧衛人由恩貢此缺十三年奉裁

鹽捕　閻不愚　河南柘城縣人由貢生

查鹽　高鼎臣　河南原武縣人由貢生

管糧　張雲路　直隷冀州人由舉人

管糧　馮瑞　直隷清豐縣人由舉人

查鹽　翁人龍　湖廣襄陽縣人由貢

江防張維賢山東嘉祥縣人由貢生
總捕秦鏡山東丘縣人由貢生

三年

江防陳朱垣山東濟寧縣人由貢生
總捕李日章山東清平縣人由貢生

理事王永茂遼東遼陽人由貢生
查鹽趙特可河南雎州人由貢生

江防王正化陝西漢中府人由拔
順治十五年奉總督部院郎

貢

管糧任憲伊陝西清澗縣人由貢生

管糧陳邦彥遼東瀋陽衛人由貢生

理事祝煇江西上饒縣人由貢生

理事劉禪陝西中部

題裁查鹽分設南北捕二員

南捕傅之義順天府大興縣人由官生

北捕王若時直隸保定府人由貢生

南捕廖巽秀廣東廣州府龍門縣

縣人由進士　人由貢生

江防　李巩　直隸保定府人由官生
北捕　蓋載　直隸眞定府人由貢生

管糧　陶譽化　山東登州府人由貢生
北捕　胡世美　順天府宛平縣人由貢生

理事　梁浩然　山東濟南府人由拔貢
南捕　呂元良　福建晋江人

理事　陳寅　順天府大

興縣人由生員

五年　管糧姚士升湖廣江陵縣人由進士

六年　理事馮蕚舒浙江寧波府人由進士

七年　江防魏槐祥直隸真定府人由貢監

八年　張際龍　浙江紹興府人由拔貢　管糧　楊名聲　遼東海州人由貢生

九年　南捕　何煥　河南懷慶府人由拔貢

十年

十一年　江防　單務嘉　山東萊州府人由進士

管糧　姜承基　遼東盖川人由廕生

十二年

十三年

十四年　孫芳　鑲白旗人由官監

理事　任道立　順天府大興縣人由准貢

江防　張聯箕　山東青州人由進士

理事　觀音保　正黃旗滿州人

北捕　韓北城　山東兗州人由拔貢

十七年　船政任道立改政

康熙二十年

裁

北捕王祚永順天大興人由官生

十八年　陳龍巖福建泉州府惠安縣人由拔貢

十九年　管糧朱雯浙江嘉興府石門縣人由進士

二十年　江防　遲炳　奉天廣寧人由監生

二十一年　于成龍　鑲紅旗人由廕生

理事　郎廷極　鑲黃旗人由監生

南捕　汪培錫　浙江錢塘人由貢生

二十二年　江防　薛晉　陝西延安人由貢生

| 明 | 經歷 | 知事 | 照磨 | 檢校 |
| --- | --- | --- | --- | --- |
| 洪武 | 趙才昌湖廣武岡人材 | | | |
| 永樂 | 劉光 | 馬存義直隸滁州薦舉 | 黃仲才四川新津貢 | |
| 宣德 | 林景禮 | 郭艮山西大同 | | |
| 正統 | 李譚福建建陽貢 | | | |
| 景泰 | 秦朝舉 | 鄭彧 | 鄧曾 | 張釗 |
| 天順 | | | | |
| 成化 | 徐人府陝西安化 | 賈徵山西大同 | | |

貢

邢曙河南臨漳舉人

楊淳貴州永寧衛舉人

弘治杜伏鏞四川成都監生　郭珏山東鉅野監生　黃蘭四川仁壽監生　宋相

俞椿浙江鄞縣監生　王仲元山東蒲臺監生　李蕙直隸宜城監生

朱重光江西浮梁監生　沈謹直隸宜興監生

史伯敏浙江餘姚官生

正德王文炳直隸武進官生陞知州　曹洋錦衣衛儒士

嘉靖李世慶直隸藁城監生　符節遼東監生　畢世臣山西應州監生　杜松直隸昌黎監生

戴冠浙江昌化監生　李汝翼河南上蔡官生　丁朝宗山西萬泉監生　戴景賢江西監生

鄧鶚江西崇義監生　吳輅直隸無錫監生　王偉山西太原監生　張大倫陝西

蘇貫福建建安監生　秦環山西忻州監生　康紹光山西興縣　監生

監生

張鶴山西安邑監生　王汝楫直隸滑縣　趙銘山東儀衛司監　張緯山東監生

貢　生

成就直隸大名監生　陸自成直隸吳縣　何忠直隸青陽監生　李東河南洛陽

監生　監生

楊守和直隸無錫　霍柱廣西滕縣監生

監生　白豸直隸監生

許中四川越雋監生　馮樂浙江烏程監生

隆慶陳漢山西馬邑貢　于祭山東禹城貢陞　任鴻儒山西汾西　朱家相湖廣

縣丞

監生

黃陂儒士

吳儲 宜興儒士

萬曆

郭與志 直隸元城貢陞推官

盧定 河南湯陰監生

陳嘉猷 山東昌邑監生

李時雨 江西龍泉儒士

鄒鉉 直隸吳江知印

劉存業 福建同安監生

冉夢龍 河南中牟縣人選貢

段乾 直隸監生

仲春 浙江秀水儒士

王延祚 浙江蕭山監生

大清

順治王師奭山西人由生員　周士元山陰人由貢監　趙正龍諸暨人由儒士　章震紹興人由吏員

沈啓隆紹興人由吏員　沈懋宗會稽人由儒士　王允懋紹興人由吏員

梁淑乾福建莆田縣人由吏員　王贊元浙江紹興府人由吏員

康熙龔龍見福建晉江縣人由進士降補　張迅翮順天府宛平縣人由吏員　蔡士驄大興縣人由儒士

張春 陝西富平人由吏員

潘勲 秀水人由吏員

胡其愷 兗平人由儒士

沈遐 順天大興人由吏員

趙自學 萊蕪人由吏員

羅逵 由儒士

楊茂芳 山陰人由吏員

明　儒學教授　訓導

洪武　黃瑛句容薦舉　呂熙湖廣黃岡歷吏部尚書

王汝玉直隸長洲陞博士歷左贊善贈太子賓客謚文靖

宣德　李存禮　劉嵩

趙達

達定

王貫

正統　謝熙浙江臨海貢

景泰　劉錦江西泰和貢

成化　黃　賜　福建閩縣舉人歷陞府同知

弘治　李　濬　福建莆田舉人陞推官

常　金　浙江嘉興貢

趙　達　四川貢

張　中　江西貢

張　慶　陝西舉人

秦　芃　四川貢

洪　敏　福建泉州舉人

正德　熊子英　陝西舉人陞知縣

周德慧　江西舉人

党　湍　浙江台州貢

王　道　山東武城進士庶吉士改歷吏

陳　瑞　江西上高貢

部左侍郎

張雲龍　福建泉州舉人陞通判

羊　單　浙江處州貢

張　淮　河南舉人

廖尚德　江西舉人

鄒　紈　江西舉人歷陞府同知

毛　潤　湖廣荊州貢陞教授

朱　善　浙江永康貢

陳　義　福建貢

戴　章　福建漳州貢陞教諭

戴　恩　江西貢

何　奎　浙江嚴州貢

尹　鏜　浙江湖州貢

邢　鉞　直隸大名貢陞教諭

## 嘉靖

范　震　浙江永康舉人陞國子學政

陳　詔　浙江溫州貢

黃　森　福建貢

李文會　湖廣承天進士歷郎中

莊　科　福建泉州舉人

陳　瑞　江西貢

劉　紀　廣西桂林舉人歷國子監丞

李　樹　廣東番禺貢陞教諭

李　山　浙江嘉興貢陞教諭

鄭汝舟　福建莆田舉人歷僉事

劉　環　湖廣貢

錢　山　湖廣醴陵貢

賀鈞　江西廬陵舉人
陳嘉靖　浙江金華貢
張麟　浙江仁和貢陞教諭
黃獻　福建莆田進士
凌雲鳳　浙江新城貢
孫珮　山東掖縣貢陞州學正
胡儒　廣西儀衛司舉人陞知縣
劉澄　廣西北流貢陞教諭
夏袞　江西德興貢陞州學正
朱瓚　江西新淦舉人陞知縣
鄧德昌　廣東順德貢
陳九鼎　廣東番禺貢陞教諭
蕭應魁　廣東番禺舉人陞學錄
曾德牧　福建古田貢陞教諭
許金　浙江天台貢

陳九成 廣東高安舉人陞助教

彭　輅 浙江嘉興進士歷員外

章世仁 直隸青陽進士歷參議

林文甲 直隸常川舉人

王　銑 直隸吳江舉人陞通判

李　彌 廣西梧州貢

余士驥 江西星子貢

榮宗良 山東堂邑貢

應　檣 浙江遂昌貢

龔　崇 浙江上饒貢

孫肯堂 浙江海鹽貢

章　春 浙江青田貢

陳思惠

祝爾耆 浙江龍遊貢

王　境 浙江黃巖貢

董汝豫 河南洛陽舉人
劉震 福建長汀貢
范拭 浙江崇德貢
楊汝弼 山東平度州貢
黎本淮 廣東崖州貢
俞振逵 浙江新昌貢 歷陞教諭
王應祥 河南上蔡貢
蘇文翰 四川筠連貢
楊鼎 江西安義貢
鄭聰 江西玉山貢
吳諫 直隸黟縣貢
陳竒 福建靖安貢

孔承甫　山東曲阜貢

蔡　偲　湖廣嘉魚貢

馬雲龍　四川閬中貢

符存心　順天永清貢

潘　震　浙江安吉貢

唐　鼎　福建安溪貢

會春和　江西南豐貢

崔竒元　山東泰安貢

梅子實　山東濟寧貢

潘伯驤　浙江烏程貢　歷陞知縣

徐可立　浙江德清貢

王時敬　浙江餘姚貢

隆慶　趙孝祖　山東齊東貢

龔治　江西星子貢

來文中　四川梁山貢

汪烱　浙江開化貢陞教諭

劉健　湖廣衡陽貢

華復初　直隸無錫貢陞教諭

李芊　湖廣安化貢陞教諭

黃文範　福建莆田貢

馬逢伯　直隸江都貢陞教諭

萬曆

傅國璧　江西臨川舉人陞學錄

聶大倫　福建邵武貢

楊應節　貴州普定貢

吳　濤　江西金谿進士陞推官

譚鳳儀　湖廣茶陵貢

余治易　直隸桐城貢

王一化　直隸泰興貢

賀　俣　直隸丹陽貢

胡　槃　山東安東衛貢

譚大經　廣東南海縣人由舉人

周汝礪　南直崑山縣人由進士

成艮材　廣西興業縣人由歲貢

憲宗魯　雲南楚雄縣人由貢生

李正蒙　浙江縉雲縣人由進士

馮夢龍　南直崑山縣人由貢生

胡　旦浙江餘姚縣人由進士

李士登河南洛陽縣人由進士

王　都直隸南陵縣人由舉人

馮運泰雲南臨安衛人由舉人

徐大賔直隸太倉人由選貢

韓秉夑貴州畢節衛人由舉人

馮繼志南直金壇縣人由選貢

曹育贊貴州貴陽府人由舉人

黄　洙江西金谿縣人由貢生

楊　元雲南呈貢縣人由貢生

龍希簡直隸望江縣人由貢生

華復元直隸無錫縣人由歲貢

項　陛直隸太平縣人由貢生

張朝立直隸靈壁縣人由貢生

周應嵩 湖廣麻城縣人由進士

黃學曾 直隸吳縣人由貢生

吳子玉 直隸休寧縣人由貢生

卞　潤 廣東曲江縣人由貢生

趙世典 福建晉江縣人由進士

劉執稼 山東平陰縣人由貢生

張汝忠 直隸蠡縣人由歲貢

林茗介 湖廣漢川縣人由歲貢

楊　憙 湖廣應城縣人由歲貢

吳宗周 江西武寧縣人由歲貢

李惟嘉 直隸滁州人由歲貢

王敬之 直隸武進縣人由舉人

艾　度 山東兖州府人由歲貢

劉至　浙江山陰縣人由歲貢

施藎　直隸崇明縣人由歲貢

熊應盛　直隸霍山縣人由貢生

陳元勳　廣東澄海縣人由進士

胡大節　直隸太平縣人由貢生

陳嘉愛　直隸泰和縣人由貢生

沈孚先　浙江秀水縣人由進士

陸可久　直隸宣城縣人由貢生

孫祚遠　直隸豐縣人由歲貢

張履正　直隸江陰縣人由進士

王詢　山東商河人由歲貢

施天詔　池州府青陽縣人由歲貢

何琪枝　直隸崑山縣人由進士

楊一新　湖廣荊州人由貢生

吳國泰　池州府貴池縣人由歲貢

張禮化　河南安陽縣人由舉人

張南翀　浙江秀水縣人由進士

顧四明　山東利津人由進士

陳舜道　蘇州府嘉定縣人由進士

姚秉恕　池州府建德縣人由歲貢

李應暘　湖廣江陵縣人由歲貢

孫應奎　直隸贛榆縣人由歲貢

張克一　山東高苑縣人由歲貢

傅繼隆　蘇州府嘉定縣人由歲貢

袁　泌　四川長寧縣人由貢生

崇大雅　鳳陽府天長縣人由恩貢

吳　植　太平府當塗縣人由歲貢

顧成憲　松江府上海縣人由貢生

盛可繼　安慶府桐城縣人由貢生

何節　四川漢川縣人由進士

馮時俊　浙江慈谿縣人由進士

譚世講　湖廣沔陽州人由進士

黎祖壽　江西臨江縣人由進士

余思中　浙江仁和縣人由進士

郁應選　蘇州府崑山縣人由貢生

唐繼勛　江西新建縣人由貢生

楊瀛　南直安縣人由貢生

桂廷輝　池州府石埭縣人由貢生

張可度　直隸穎州人由貢生

郝鑑　直隸英山縣人由貢生

李邦杰　江西德化縣人由貢生

章海　直隸績溪縣人由貢生

劉應甲　鳳陽府亳州人由歲貢

楊鶴翔　直隸當塗縣人由歲貢

王良臣 南直常熟縣人由進士

申紹芳 蘇州府長洲縣人由進士

天啓

和于朝 陝西人由進士

張盛治 直隸豐縣人由歲貢

于伯洪 江西安福縣人由歲貢

張文卿 池州府貴池縣人由貢生

陳表 直隸廬江縣人由貢生

黃正通 直隸望江縣人由貢生

江廷蛟 寧國府旌德縣人由貢生

何應元 直隸寧國府人由歲貢

王鼎臣 直隸英山縣人由貢生

周憲昌 直隸太倉州人由貢生

李占春 雲南蒙白縣人由貢生

王裕仁 山西孝義縣人由進士　許學舜 南直望江縣人由貢生

李芹 山東沂縣人由貢生

舒守位 揚州府興化人由貢生

馬任達 北直永年縣人由進士　鮑欽詔 南直寧國府人由歲貢

高岫 南直蘇州府人由貢生

聶文麟 江西金谿縣人由進士　張大統 南直太倉州人由貢生

張鵬翀 北直東鹿縣人由進士　張一輪 南直桐城縣人由貢生

陳觀陽 南直丹徒縣人由進士　王正己 南直和州人由貢生

崇禎

王懋學 陝西永昌衛人由進士　郝世德 四川宜賓縣人由貢生

施承緒 南直青陽縣人由進士　賈廷柱 湖廣襄陽縣人由貢生

陳光先南直滁州人由貢生

張昂之南直華亭縣人由進士

陳思謙南直沛縣人由貢生

馬之元南直丹陽縣人由貢生

駱天開福建南平縣人由進士

任之彥南直蕭縣人由貢生

顧力行南直通州人由貢生

楊以任江西瑞金縣人由進士

田伊山東蒲台縣人由貢生

張五常南直宣城縣人由貢生

祁彪佳浙江山陰縣人由舉人

梅之煒湖廣麻城縣人由貢生

沈鴻儒

李自華南直宿松縣人由貢生

尹先覺雲南人

大清江寧府學教授　訓導

順治　蕭譜元河南人由進士　程正範湖廣孝感縣人由貢生

楊廷鑑常州府人由進士　黄可選寧國府人由貢生

劉陞盧州府人由歲貢　張幼艮揚州府人由貢生

張瑗蘇州人由貢生　汪鳴池州府人由貢生

丁壽嗣鳳陽府人由貢生　張聞詩盧州府人由貢生

鄧紹熤鳳陽府人由貢生　趙文鼎揚州府人由貢生

王佐聖鳳陽府人由歲貢　夏洪疇高郵州人由貢生

朱謨蘇州府人由進士　王方來鎮江府人由貢生

康熙　李全生鳳陽府人由貢生　康熙三年訓導奉

蔡玉鉉鳳陽府宿州人由貢生　裁十六年復設

楊才瑰淮安府人由進士

吳國縉全椒縣人由進士

謝允掄徽州府祁門縣人由舉人　鄒延屺常州府武進縣人由恩貢

江寧府志卷之十五終

江寧府志卷之十六

歷官表下

明　上元縣知縣　縣丞　主簿

洪武　尹昌期直隸鳳陽府人由人材

伍洪江西吉安府人由舉人

呂貞

湯宗誠福建寧德縣人由舉人

趙旻山西蒲州人

司馬東陝西西安府人由監生

永樂

李褒江西盧陵縣人由進士

秦觀浙江錢塘縣人

陳奐浙江慈谿縣人由明經

何均平陝西西安府人由進士

黄思敬浙江歸安縣人

由進士

高廉

宣德　李彬直隸晉州人由舉人　王觀湖廣武昌府人　黃厥鵬湖廣興寧薦舉

正統　姜德政浙江江山人　常延直隸平山縣舉人

景泰　張璽　張德　王愼

天順　符台河南人　張濟　時安河南光山縣人

王憲直隸晉州人由監生　郝隆

成化　邊寧山東歷城縣人由舉人　王佐山東博平縣人監生　呂璋廣西桂林府人

蕭謙陝西長安縣人由進　劉志道直隸曲陽縣人　宋寧順天武清縣監生

士

王定安 順天大興縣人

由進士

魯文 陝西岐山縣監生

馬良 陝西米脂人縣丞陞

趙坤 浙江慈谿縣人由進

士

袁龍 直隸合肥縣監生

弘治

周客 南直寶應縣人由監

生

方穀 江西浮梁縣監生

李綱 山東曲阜縣監生

杜焞 浙江慈谿縣人由舉

人

王玉 陝西鄜州監生

正德

袁陽 直隸滿城縣人由進士

袁顯 湖廣耒陽縣人由舉人　張璿 遼東前衛監生　周和 江西樂平縣吏復補江寧

余韶 江西南昌府人由舉人　王世昌 山東萊陽縣監生　戴鑑 江西德化縣吏　侯大用 山西靈丘縣吏

李壕 山西潞州人由舉人

白思齊 山西平定州人由舉人　吳縉

嘉靖

周秀 山東歷城舉人　翟表 山東費縣監生　安磐 陝西耀州監生

魏弘仁陝西涇陽縣人由舉人　陳道生直隷宜興縣監生　程志河南胙城縣監生

陳瓚浙江天台縣人由進士　潘彥富湖廣監利縣監生　劉熙載江西永新縣監生

石淵之浙江黃巖縣人由舉人　朱希顏直隷崑山縣監生　鹿堂直隷潁州坐生

程鄉江西南城縣人由舉人　黎良廣東博羅縣吏　暢忠山西河津縣監生

劉敬宗浙江人和縣人由舉人　宋德盛山東靈山衛監生　李奇章四川監生

張宿 浙江餘姚縣人由舉人　張德 直隸宿松縣監生　王嘉譽 山西高平縣監生

景鸞 陝西岐山縣人由舉人　楊亨 陝西監生　廖銓 福建龍巖縣監生

袁鑑 廣東揭揚縣人由舉人　方釜 直隸歙縣監生陞通判　蕭顒 廣東新會縣監生

劉以貞 江西安福縣人由舉人　程民孚 直隸歙縣監生　劉錀 四川龍州宣撫司貢陞知縣

房韞玉 山西靈石縣人由舉人　吳時中 湖廣隨州監生　張昂 直隸昌黎縣監生

段有成雲南昆明縣人由舉人　馬廷臣直隸元城縣監生　程滋直隸歙縣監生

陳沛廣東德慶州監生

彭夢祥山東費縣監生

隆慶

袁伯雅江西豐城縣人由舉人　陳儒相山東濟寧州監生　李思詔直隸河間府監生

王誥江西清江縣人由舉人陞太僕寺丞　毛效廉山東陽信縣監生　盧學詩直隸南宮縣監生

萬曆

林大黼福建莆田縣人由舉人　葛釜湖廣江陵縣人由歲貢　熊祺四川中江縣知印

杜漸陝西鎮安縣貢

周文瑞江西玉山縣吏

陳文 江西靖安縣人由舉人　曹忠 山東萊蕪縣人由歲貢　周學詩 江西玉山縣人由吏員

余相 浙江會稽縣人由舉人　范燧 江西南城縣人由恩貢　任試 浙江會稽縣人由吏

唐棟 湖廣江陵縣人由舉人　金赤 湖廣江陵縣人由恩貢　鍾大濩 貴州人由歲貢

沈榜 江西臨江府人由舉人　段袞 直隸寧國縣人由恩貢　劉舜孝 湖廣桂陽州人由歲貢

程三省 浙江富陽縣人由舉人　元泰 四川內江縣人由官生　徐廷教 南直建德縣人由吏員

孫夢廣西藤縣人由舉人　黃惟恭　程㭿江西鉛山縣人由歲

員

葉士敦山西聞喜縣人由舉人

劉一全陝西盩厔縣人由舉人　連恩宗福建龍岩縣人由監生　熊子德江西新建縣人由儒士

白鯤江西南和縣人由舉人

劉白綬山東歷城縣人由舉人

賈應龍河南安陽縣人

周三錫 直隸濬縣人由舉人

吳望岱 陝西會寧縣人由舉人

陳宇 浙江上虞縣人由舉人

李鳳翔 直隸保定府人由舉人

繆伯升 浙江人由舉人

許學宗 福建人由舉人

范廷掞 山東滋陽縣人由舉人

崇禎

何其英 順天大興縣人由舉人

官成 山東平度州人由舉人

王夢台 廣西全州人由舉人

彭弼薇 江西安福縣人由舉人

陳之紳 浙江海寧縣人 由舉人

沙蘊金 直隷威縣人 由舉人

薛大豐 福建仙遊縣人 由舉人

江文純 南直武進縣人 由舉人

邑志自思齊而上迦知縣二十三人丞以下不錄茲於大誥得呂貞南戶部事例得高廉吉安湖州郴州

等志得李褒黄思敬黄廠鵬餘出題名中故雖略而核江寧亦然

大清

| | 上元縣知縣 | 縣丞 | 典史 |
|---|---|---|---|
| 順治二年 | 黃應諆 順天大興縣人由內院供事 | 陳事 遼東人由吏員<br>王國明 順天大興縣人 | 宗大綬 四川宜賓縣人由吏員 |
| 三年 | 王自成 浙江烏程縣人由貢生 | 姚萬程 浙江於潛縣人由吏員 | |
| 四年 | 張育葵 陝州人由生員 | | |
| 五年 | | 戴瑞徵 浙江山陰縣人由吏員 | |
| 六年 | 郭士賢 遼東人由貢生 | | |
| 七年 | | 郭崇城 山西太原縣人由吏員 | |
| 八年 | | | |

九年 王擢陝西華陰縣人由吏
十年 姜廷櫆浙江會稽縣人 員 陳琛浙江仁和縣人由吏
由拔貢 曹鳴鸞河南魯山人由 員
十一年 歲貢
十二年
十三年 張鴻基直隸永年縣人 張廷俊山西陽曲縣人
由進士 由生員
十四年 王璣山東齊東縣人由歲
貢
十五年 王敦善山東莒縣人由 李八斗直隸靈壽縣人

官監　由生員

十六年

十七年　張希聲　直隸沙河縣人　由舉人

十八年

康熙元年　白崇周　遼東人　由貢生

二年　戴正宸　順天大興縣人　由歲貢

三年　李如鼎　江西安福縣人　由舉人　黃守安　陝西耀州人　由吏員

四年

五年

六年

七年　李乾生四川閬中縣人由舉人　王登春景州人州同改授

八年

九年

十年　唐嗣昌全州人由舉人　翟榮廷富平人由吏員

十一年

十二年

十三年　徐培基遼陽人由正監

旗下副榜

| 年 | 姓名 |
| --- | --- |
| 十四年 | |
| 十五年 | |
| 十六年 | 吳士秀 慈谿人由吏員 |
| 十七年 | |
| 十八年 | 于述統 鑲黃旗下遼東廣寧人由監生　宋之偉 順天大興人由官監 |
| 十九年 | |
| 二十年 | 萬世華 正紅旗由監生 |
| 二十一年 | |

二十二年　耿繩陛山東青城人由正貢作恩貢

大清　上元縣儒學教諭　訓導

順治　張兆奎安慶府宿松縣人由歲貢　李爲極河南光州人由恩貢

辛　焻徐州沛縣人由恩貢　馬一艮直隸真定府人由恩貢

謝昌運鳳陽府定遠縣人由恩貢　吳之鵠太平府當塗縣人由歲貢

王　瑜安慶府桐城縣人由歲貢　何景宣安慶府懷寧縣人由貢生

周鴻緒廬州府合肥縣人由歲貢　康熙三年訓導奉

康熙　王秉夔和州人由歲貢　裁十六年復設

陳啟潛吳縣人由舉人

李成瑛豐縣人由歲貢

鄒王成鎮江丹陽人由舉人　陸　禮長州人由歲貢

朱廷鉉　江陰人由舉人

丁繩之　寧國府宣城縣人由舉人

| 明 | 江寧縣知縣 | 縣丞 | 主簿 |
| --- | --- | --- | --- |
| 洪武 | 張安仁江西九江府人由人材 | 陸仁浙江江山人 | |
| | 高炳出大誥 | | |
| | 張士彬直隸山陽縣人陞御史 | | |
| | 周敝直隸泰州人由人材 | | |
| | 錢晁浙江嵊縣人 | | |
| 永樂 | 王愷湖廣蒲圻縣人由進士陞左中允歷參議 | 周貴湖廣沅州人 | |

張得中浙江慈谿縣人由進士改主事

陳孜江西九江府人

宣德　藍清江西高安縣人歲貢　夏鵬山東章丘縣監生

徐淵直隸泰州人由貢生　陳康直隸沭陽縣人

正統　周原慶浙江青田縣人　劉傑河南睢州舉人

景泰　李褒　芮琛河南郾城縣人　耿乾陝西西安府人

熊肅陝西寧州人由貢生　鮑宗仁浙江武義縣人　陸芸浙江青田縣人

劉志道復補上元　黃九萬

天順　胡謐浙江會稽縣人由進士　廖世清江西泰和縣人

士歷叅政　　　儒士

成化　陳紀四川墊江縣人由貢生　　　張旻浙江嘉興府人

周摶湖廣道州人由舉人　扶忠湖廣監生　　　王佐山西馬邑縣監生

胡鄘直隸睢寧縣人由貢生　　　江孟宗四川江津縣人

劉傳直隸嘉定縣人由進士

武敬廣東化州人

弘治　朱宗河南睢州人由舉人　　　劉淵四川閬中縣監生

袁暘直隸丹徒縣人由進士

易寵江西安仁縣人由舉人

正德

段經湖廣江夏縣人由舉人　胡溥四川富陽縣人　楊瓚山西人

王文麟陝西泰州人由舉人　馮璽　朱晟直隸合肥縣監生

吳時俊廣東南海縣人由舉人　王璣山西陽城縣舉人　周和見上元

王誥陞治中　彭銳河南汝陽縣人　鄭賢四川岳池縣監生
汪濂直隸歙縣舉人陞知州　呂簋
秦鴻湖廣歸州監生　李冕湖廣桃源縣人
張綸山東靈山衛監生
嘉靖
張恕河南洛陽縣人由舉人　秦洪湖廣陵縣監生　鄒魯湖廣宜城縣監生
洪顯浙江湯溪縣人由舉人　王震湖廣通道監生　王震直隸晉州監生
湯時平湖廣靖州人由　趙翔直隸武進縣監生　孫文山直隸桐城縣監

舉人　生

楊梅河南陝州人　章恩　洪猷浙江壽昌縣監生

崔尚義直隸長垣縣人由舉人　藍璞江西新喻縣吏員　馬應祥陝西榆林衛監生

楊京福建建安縣人由舉人陞太僕丞　郭廷輅山西文水縣監生　徐億江西監生

藍因山東即墨縣人由官生　曹炳直隸太平府監生　趙循秀浙江臨海縣監生

甘應禎直隸真定衛人由舉人　覃鑾四川萬縣監生　張以忠陝西富平縣監生

祝朝用 四川儀衛司人由舉人

張中立 江西餘干縣監生陞斷事

伍鳳冠 湖廣新化縣監生

何价 湖廣道州人由舉人

劉孟春 河南監生

梅中立 直隸上海縣監生

毛國賢 浙江鄞縣人由舉人

劉慤 河南祥符縣監生

王嘉相 直隸邯鄲縣監生

金傑 浙江蘭谿縣人由舉人

吳福基 雲南衛人由舉人陞主事

隆慶

李一鶚 山西應州人由舉人歷郎中　侯翰 山西汾西縣監生　廖應元 雲南河陽縣貢生

李爵 湖廣長陽縣人由舉人陞主事　黃傑 浙江餘姚縣貢生

萬曆

武鍧 山西陵川縣人由舉人　周冕 直隸舒城縣貢生　郭祺 萬全都司貢生

陳謙 浙江仁和縣人由舉人　甯鸞 廣東靈山縣貢生陞審理

賈廷聘 四川潼川州人　馬世莊 河南禹州官生　彭藩 江西廬陵縣人

雷學尹 雲南臨安衛籍　李崇廉 河南林縣人　鄧國珍 江西湖口縣人

湖廣隨州人　屠菲 浙江烏程縣人　吳儒 浙江慶元縣人

龍起春 貴州人　楊瀧 廣東大浦縣人　諸士進 浙江餘姚縣人

周詩 直隸崑山縣人　張西角 山東平原縣人　韓尊孟 直隸長州縣人

楊應丙 陝西延安衛人　黃光涵 直隸太湖縣人　李元嗣 直隸南樂縣人

石允珍 陝西同州人　魏實秀 湖廣京山縣人　宋學濂 山西長治縣人

戴大槐 福建莆田縣人　劉濯 順天府玉縣人　王利用 直隸大倉州人

劉儀鳳 陝西盩屋縣人　何懷柱 河南靈寶縣人　杜任芳 陝西右泉縣人

李充大 順天玉田縣人　孫鴻澤 浙江歸安縣人　錢繼美 浙江嘉善縣人

陳格言 直隸吳江縣人　崔綱 山東平度州人　毛一瑺 浙江遂安縣人

艾反芝 貴州都匀府籍　徐國雲 浙江德清縣人

張應觀　浙江鄞縣人

解允淑　陝西韓城縣人

江西新建縣人

劉必達　陝西咸寧縣人

毛可教　湖廣麻城縣人

天啟

田有年　陝西扶風縣人

王同鼎　湖廣黄岡縣人

崇禎

楊儁卿　浙江烏程縣人

由舉人

夏之鼎　直隸崑山縣人

由舉人

鄭九炯　浙江人　由舉人

郭維藩　江西人　由舉人

劉允中　廣東人　由舉人

楊文驄　貴州人　由舉人

| 大清 | 江寧縣知縣 | 縣丞 | 典史 |
|---|---|---|---|
| 順治二年 | 袁懋齡江西豐城縣人由舉人 | 馬步月盛京大名府人由貢生 | 唐文燦陝西人由吏員 |
| 三年 | 李呈芬湖廣江夏縣人由舉人 | 魏斌陝西富平縣人由吏員 | |
| 四年 | 邵擢山東武城縣人由進士 | 趙匡國福建人由貢生 | |
| 五年 | | 金毓煥浙江義烏縣人由生員 | |
| 六年 | 呂朝輔遼東人正黃旗 | 李時春浙江山陰縣人 | |

貢生

由吏員

七年 杜來鳳 山西武鄉縣人 由進士

劉奇瑜 湖廣邑陵縣人 由吏員

八年

九年

十年 崔詔之 山東平度州人 由拔貢

王宗聖 遼東人 由貢生

周遠 浙江人和縣人 由吏員

十一年 葛攀桂 陝西武功縣人 由拔貢

董宗聖 山西萬泉縣人 由貢生

十二年 王化徵 直隸樂亭縣人

由貢生

十三年　馮紱來　浙江新城縣人由拔貢

十四年

十五年　陳永吉　遼東遼陽人由官生

十六年

十七年　李兆亨　陝西階州人由貢生

十八年

康熙元年

二年　王茂琚山東青州府人由吏員

三年

四年　周永清遼東撫順人由白旗廕生

五年

六年

七年　俞滋慧廣東新會人由舉人　吳邦燦浙江山陰人由吏員

八年

九年　吳汝亮　山東濵州霑化人由舉人

十年　羅基昌　順天三河人由貢士

十一年　呂夢琦　廣東南海人由舉人

十二年　崔登華　直隸永平遷安人由官貢

十三年　方殷元　廣東番禺人由進士
　　　　趙繼普　遼東廣寧人正藍旗官生

十四年

十五年　王朝鼒　奉天府人由正黄旗下監生

十六年　孫起綸　山東青州人由進士

十七年　陳殿邦　福建福州長樂人由舉人

十八年　胥錫祚　山東平度州濰縣人由監生

十九年　崔岳宗　由鑲黄旗恩廕

胡浚　浙江會稽人由吏員

| | | |
|---|---|---|
| | 生 | |
| 二十年 | | |
| 二十一年 | 佟世燕 遼東人正藍旗由官監生 | 房爾繼 順天大興人官貢生 |
| 二十二年 | 李悅姬 直隸保定人由拔貢 | 袁蔽吉 山西祁縣人由吏員 |

大清 江寧縣儒學教諭 訓導

順治 韓鴻坤遼東人由選貢 汪兆璀徽州府歙縣人由貢生

獨占春鳳陽府虹縣人由歲貢 周國珍寧國府寧國縣人由貢生

莊履旋浙江秀水縣人由舉人 趙洣常州府江陰縣人由貢生

程一桂徽州府休寧縣人由歲貢 李啓應鳳陽府潁州人由歲貢

羅錫應寧國府宣城縣人由歲貢 馬啓河揚州府人由貢生

夏之謨鎮江府丹陽縣人由歲貢 葉㝞安慶府望江縣人由貢生

李全生鳳陽府靈壁縣人由歲貢 康熙三年訓導奉

康熙 丁祚端揚州府江都縣人由舉人 裁十六年復設

徐哲揚州興化人由貢歲歷南平知縣

荆克捷鎮江丹陽人由舉人

劉廷獻徽州歙縣人由歲貢

| 明 | 句容縣知縣 | 縣丞 | 主簿 |
|---|---|---|---|
| 洪武 | 黃守正 | 史顯 | 顧一舉 |
| | 陳峻德 | 文良舉 | 凌德茂 |
| | 黃文蔚 | 劉復仁直隸揚州府人 | 任允湖廣桃源縣人 |
| | 柴恭 | 盧信浙江黃巖縣人歷參議 | |
| | 夏常 | | |
| | 韓繼直隸河澗府人 | | |
| | 韓宗器 | | |
| | 王成湖廣蘄州人 | | |
| | 朱彤湖廣蘄州人陞通判 | | |

建文 周舟湖廣益陽縣人歷大理寺卿

永樂 胡仲周 高麟 王翮

李濟 余貞

徐大安 趙啓

周庸節江西清江縣人歷通判

宣德 許聰河南南陽縣人歷通判 郭振 王得順天府薊州人

羅昇

張文善　傅祥

周順　江西人　賀彬　山東藤縣舉人

孫俊　直寶應縣貢生

正統

張昇　浙江杭州府人御史謫　許瓊　福建人　師孟　河南人

韓粤　浙江定海縣人由舉人　崔恕　于中　山東人

浦洪　浙江秀水縣人由貢生歷大理寺副　韓閏　程童　福建浦城縣人

賀斌　山東人

林烶　福建人

趙得舟

李儼

金翥

景泰　姚顯　劉義見知縣　楊立

天順　劉義山東諸城縣人由舉人　劉釗　紀銘湖廣襄陽縣貢生

劉湑湖廣上津縣人由進士歷御史　趙琬浙江人　魏可宗湖廣人

張羽

王本原

李聰

雷欽
歐陽倫江西人
游文弼四川人
沈詳河南人

成化

張蕙山西忻州人由進士陞御史　武忠河南人　藍俊陝西人
黃原貞福建閩縣人　林恭福建莆田縣人
濮壽山西人　安慶直隸滑縣人　李傑河南歸德府人
徐廣山東曹州人由進士　孫郁山東人
李澄河南西華縣人由進士陞御史　程通陝西人
陳俊廣東人

黃傑陝西人

賈禎陝西安化縣貢生

弘治

王偉浙江長興縣人由舉人　鍾璠山東人　薛任湖廣人

杜槃山西太原府人由舉人　丘叔麟廣東人　李滋直隸真定府人

王允亨陝西河州人　劉富直隸真定府人

沈鳳山東東昌府人

正德

張巘四川郫縣人由進士　王珉山東曹縣人　俞瑛

劉釗順天順義縣人　葉昂江西南昌府人　張輝

王汝舟四川華陽縣人　郭淮　王蒼

由進士 莫如德廣西蒼梧縣人 劉謙山西安邑縣人

簡佐江西新喻縣人由進士 陳紀廣東陽山縣人 王芳山東博興縣人

士

梁鋐山東蓬萊縣人 王袞湖廣茶陵衛人 孫彥廣東吳川縣人

李應春湖廣永興縣人 張縉陝西咸陽縣人

由舉人 黃驥福建同安縣人

楊訪直隸清豐縣人

王瀚河南汲縣人

曹振河南襄城縣人

嘉靖 紀賁直隸任丘縣人由進士 齊維熊浙江淳安縣人 張載理直隸衡水縣人

士歷按察副使　蔣璃江西廬陵人　戈霽直隸景州人
羅鐩江西太和縣人　丘金浙江鄞縣人　楚麟河南歸德府人
王紳直隸滄州人由進士
歷都御史　梁弼山東寧海縣人　張喜會河南河陰縣人
陳文浩福建閩縣人由　田正陽四川泥溪縣監　曹來吞河南鄭州縣人
進士　生　楊松遼東人
周仕江西廬陵縣人由舉　嚴治江西彭澤縣監生　南鈺陝西山陽縣人
人　賈中錫浙江海寧縣監　李夢芳山西嵐縣人
徐九思江西貴溪縣人　生　苗俞山西長子縣人
由舉人歷知府　劉克己山東商河縣貢　顧景禎遼東鐵嶺衛監

況國奇 江西奉新縣人由舉人

樊垣 四川宜賓縣人由進士歷郎中

孫光 陝西隴西縣人由舉人

甄津 山東魚臺縣人由進士歷恭議

曾應華 浙江江山縣人由舉人

生

解枚 山東沾化縣貢生

蕭遜 福建南平縣監

生

陳天賦 浙江富陽縣監

生

賈世寧 陝西隴西縣監

生

張文桂 山東沂水縣監

生

申一桂 山西潞城縣監

曹鏜 萬全都司貢生

劉璧　貴州清平縣人由舉人

岳河　直隸邯鄲縣監生

余意　四川閬中縣監生

胡師　江西豐城縣人由舉人歷通判

張東岡　江西新喻縣知印

周良貴　江西上饒縣監生

劉定　江西豐城縣吏員

劉緒　直隸灤州吏員

隆慶

周美　浙江富陽縣人由進士

常懷義　山西潞安縣監生

連相　福建惠安縣監生

章元熊　浙江會稽縣監

張道充河南商丘縣人由進士陞御史
彭大亨四川龍安縣監生
花叙江西弋陽縣監生
花坤山西長治縣貢生
諸民式湖廣江陵縣監生

萬曆
丁賓浙江嘉善縣人由進士
李登直隸任丘縣吏
劉藺直隸曲周縣監生
莫克和浙江山陰縣吏
張文化浙江秀水縣監生
劉圻順天府貢生
沈子來浙江歸安縣人
吳允賢廣東瓊山縣人
徐文炤浙江永康縣人

由進士　由恩貢　由監生

霍鵬直隸井陘縣人由進士　王叢山東鉅野縣人由恩貢　歐安河南輝縣人由歲貢

徐啓東浙江上虞縣人由舉人　許一善福建晉江縣人由監生　謝天衢江西安遠縣人由監生

趙學仕浙江蘭溪縣人由進士　陳嘉詔浙江麗水縣人由恩貢　李應壁福建建安縣人由監生

夏日葵浙江秀水縣人由舉人　黎民敏四川樂縣人由恩貢　陳指南浙江會稽縣人由吏員

李交熙北直南宮縣人　王紹業陝西崇信縣人　余日奎江西南昌縣人

由進士　由吏員

陳於玉　浙江嘉善縣人　畢元慶　浙江歸安縣人　顧守言　浙江上虞縣人

由進士　由吏員

茅一桂　浙江歸安縣人　林大東　福建福清縣人　林繼遂　福建福清縣人

由舉人　由監生

吳道長　江西南康縣人　程逑頤　廣東南海縣人　潘維新　浙江烏程縣人

由進士　由舉人

施一栻　浙江山陰縣人　張應麟　浙江山陰縣人　方自修　浙江新城縣人

由舉人

曾士懋　廣東人由舉人　唐廷徵　浙江蘭溪縣人　張有信　浙江會稽縣人

由儒士

劉聘亮福建同安縣人由舉人　婁文晉浙江會稽縣籍嘉興府人　何世逵浙江人

莫嘉義廣西靈川縣人由舉人　孫廷槖浙江紹興府人　李自逵江西安仁縣人

羅廷光江西清江縣人由舉人　楊中誼浙江義烏縣人　胡尚彩浙江淳安縣人由監生

泰昌

林會福建南靖縣人由進士　王汝京浙江山陰縣人由監生　湯敬中湖廣益陽縣人由選貢

天啓

任天爵雲南臨安縣人　張天樞浙江山陰縣人　俞伯鵬浙江山陰縣人

由舉人　由儒士　由監生

駱方璽 浙江諸暨縣人由進士　吳廷楠 浙江仁和縣人由恩貢　袁堯封 江西安義縣人由監生

陳嗣清 浙江歸安縣人由貢生　辜文俊 江西南昌縣人　谷起元 河南南陽縣人由監生

魏公韓 湖廣黃岡縣人由進士　王中 湖廣鄖陽縣人由恩貢　唐自弘 浙江仁和縣人由監生

崇禎

文廷望 廣西全州人由舉人　陸伯瑞 浙江餘姚縣人

李芳聯 四川長壽縣人　方世泰 浙江會稽縣人

由進士

錢朝彥　浙江錢塘縣人　由進士

王學鏡　貴州石阡府人　由舉人

朱議淮　江西新建縣人　由舉人

縣嘉靖志稱盧信爲縣丞而列於知縣許淳爲訓導而列於教諭茲改正

| 大清 | 句容縣知縣 | 縣丞 | 典史 |
|---|---|---|---|
| 順治二年 | 傅覲光 山東曹縣人由廩生 | 熊兆祥 江西南昌縣人由貢生 | 鄭淑友 福建莆田縣人由吏員 |
| 三年 | 馬瑾 山西長子縣人由進士 | 楞棟 浙江山陰縣人由貢生 | 趙國英 陝西西安府人由吏員 |
| 四年 | 方鑾 河南汝寧縣人由舉人 | 馮佩 陝西人由貢生 | |
| 五年 | 姜輔周 遼陽左衛人由貢生 | 胡萬年 江西南昌縣人由貢生 | |
| 六年 | | | |

七年

八年

九年

十年　葛翃宸　浙江上虞縣人　由拔貢

十一年

十二年　叢大爲　山東文登縣人　由進士

十三年

十四年　韓有倬　順天大興縣人

由進士

| | |
|---|---|
| 十五年 | 王不倚 眞定人由吏員 |
| 十六年 | |
| 十七年 | 王玉汝 河南河內縣人由拔貢　馬中碧 臨邑人由拔貢　童天禎 仁和人由吏員 |
| 十八年 | |
| 康熙元年 | 何曆颺 福建晉江縣人由貢生 |
| 二年 | |
| 三年 | 巢逵翔 陝西涇陽縣人　張懷珙 歙縣人由歲貢 |

由舉人

四年

五年

六年

七年　周曆長福建武平縣人由舉人　段文繡順天大興人由吏員

八年

九年

十年　謝璸程鄉人由歲貢

十一年　林最平遠人由副榜教習　曹戢定茌平人由吏員

十二年　高自謙寧晉人由歲貢

十三年

十四年

十五年

十六年

十七年 温而厲 清原人由拔貢

十八年 董元俊 華陰人由進士 劉質 順天大典人由例監生

十九年 劉化龍 高陵人由吏員

二十年

二十一年 陳協濬 陝西富平人由

拔貢

二十二年

明　句容縣儒學教諭　訓導

洪武　胡璉江西萬安縣薦舉　許淳邑人由儒士

朱純邑人由儒士　胡翹邑人由儒士

樊傑邑人由明經

永樂　戴祥　江源邑人由儒士

鄺子輔湖廣郴州人由舉人　搖昌

趙學拙福建南平縣人由舉人　彭汝弼

宣德　趙克通　方肇

陳信浙江嘉興府人由舉人歷武學

教授

正統　陳　玹　江西南昌府人由舉人歷教授　林　瑱　福建莆田縣人由舉人歷教諭

黎　眞　直隸任丘縣人由舉人歷教授

景泰　林惟高

蕭　敦　江西人

徐光大　浙江會稽縣人由明經歷御史

天順　蕭文奎　江西人

陳汝圭　福建候官縣人由舉人

徐　軫　福建候官縣人由舉人　方　雍　浙江桐廬縣人

蔡　祥　江西人　王　禎　江西安福縣人

常　清　山東濟寧州人　栢　永　廣東人

潘　浚　江西安福縣人　由貢生授教諭

石　昱　直隸元城縣人

鄭　賢　福建南平縣人　由舉人

吳　箴　江西永新縣人

弘治

陳　元　福建莆田縣人　由舉人

程　文　江西浮樂縣人

曾　昇　廣西人

章　頴　浙江台州府人

唐　譜　湖廣人

詹　明　浙江人

正德

陳　信　江西新淦縣人

黎　順　江西豐城縣人

袁一誠　浙江仁和縣人

陳　蓍　河南泌陽縣人

耿尚忠山東鄒平縣人　胡　清浙江泰順縣人

錢　組浙江鄞縣人　林　顯廣東化州人

應振綸浙江象山縣人

徐　隆浙江錢塘縣人

## 嘉靖

馬呈瑞福建莆田縣人　張世卿山東濟陽縣人

汪　法江西德興縣人　雷孟春湖廣嘉魚縣人

孫　隆浙江鄞縣人　錢　傑浙江慈溪縣人

楊　薰湖廣房縣人　鄒　魯直隸濬縣人

蔡　稽江西金溪縣人由貢生　張　錦山東鄆城縣人

唐朝德廣西全州人由舉人陞知縣　蔡　廉

楊經　河南衛貢生

胡直　江西泰和縣人由舉人登進士

歷按察使

楊凌漢　四川西充縣人由貢生

周武相　廣西臨桂縣人由舉人

王堯卿　河南洛陽縣人由舉人

胡門闓　江西新昌縣人由貢生

楊隆　湖廣竹溪縣人由貢生

史定　直隸定興縣人由貢生

陳俞　河南裕州人由貢生

楊維春　江西東鄉縣人由貢生

謝章　福建邵武縣人由貢生

藺完璧　河南裕州人由貢生

鄔維疆　江西新昌縣人由貢生

汪文　浙江建德縣人由貢生

曾袞　江西永豐縣人由貢生

姜熑　江西進賢縣人貢生

崔雲鵬　雲南保山縣人由貢生

張問明　湖廣人

隆慶

沈　升　浙江太平縣人由貢生　葉廣明　廣西宣化縣人由貢生

胡　完　浙江餘姚縣人由貢生　曾　祺　江西樂安縣人由貢生

萬曆

施　岳　浙江歸安縣人由貢生　胡允佳　浙江海寧縣人由貢生

錢　蒙　直隸太倉人由貢生　張翼鳴　直潁鳳陽府人由貢生

金見龍　直隸華亭縣人由貢生　張　巽　浙江秀水縣人由舉人

呂道炯　直隸太倉州人　沈　琊　直隸青浦縣人由貢生

周時烈　湖廣黃岡縣人由舉人　金　恕　直隸丹徒縣人由貢生

段弘璧　直隸金壇縣人由貢生　唐文粹　直隸青浦縣人由貢生

吳士亨 河南泌陽縣人由貢生 吳良治 直隸當塗縣人

茅濡 直隸鎮江府人由貢生 李復初 河南人由貢生

陽聘 四川人由貢生 王之夔 直隸丹徒縣人

傅繼隆 直隸嘉定縣人由貢生 鄭汝礪

陸汝楨 直隸銅陵縣人由貢生 汪珂 山東人由貢生

張弘道 直隸武進縣人由貢生 孫續 四川人由貢生

沈鍾宿 直隸吳江縣人由舉人 張明倫 江西人由貢生

趙思禹 臨城縣人由貢生

張汝舟 直隸五河縣人由貢生

吳啓愚 廣東瓊山縣人由貢生

吳來相 直隸宣城縣人

張九錫 雲南人由貢生

常存仁 懷遠縣人 由貢生

羅汝傅 直隸宣城縣人 由貢生

泰昌

王師益 直隸揚州府人 由貢生　李進 雲南人由貢生

天啓

鄧三畏 直隸六安州人 由貢生　何躍龍 直隸太倉州人 由貢生

許邦璧 福建人由舉人　李時芬 直隸望江縣人

徐懋奎 直隸常熟縣人 由舉人　高維崧 山東人由貢生

何肇元 直隸武進縣人 由舉人　詹仰斗 湖廣麻城縣人 由貢生

王熙載 江西人由貢生　王膂 直隸鎮江府人 由貢生

崇禎 吳道新直隸桐城縣人由舉人 吳學謨直隸休寧縣人

丁孺端直隸常熟縣人由舉人 李憲中直隸繁昌縣人由貢生

邢武齡直隸當塗縣人由貢生 方士偉直隸祁門縣人由貢生

郭玉鉉直隸亳州人 吳應雷直隸貴池縣人由貢生

徐銘敬直隸華亭縣人由舉人 鄭三杰直隸建德縣人由貢生

| 大清 | 句容縣儒學教諭 | 訓導 |
| --- | --- | --- |
| 順治 | 周晃　四川城都府人由貢生 | 胡耆定　寧國府宣城縣人由貢生 |
| | 王德祈　淮安府鹽城縣人由貢生 | 張德謙　山東平原縣人由貢生 |
| | 張九儀　壽州蒙城縣人由貢生 | 王廷禧　常州府無錫縣人由貢生 |
| | 關世隆　廬州府無爲州人由舉人 | 方來貢　桐城縣人歲貢生 |
| 康熙 | 程治　淮安府山陽縣人由舉人 | 康熙三年訓導奉裁十六年復設 |
| | 許庠　鎮江府金壇縣人由舉人 | |
| | 林翹　太平人由舉人 | 縱閎中　徐州蕭縣人由恩貢 |

明　溧陽州知州

芮耆孫 邑人

林公慶 浙江括蒼

王琳

洪武　溧陽縣知縣　縣丞　主簿

顧思邈　夏廸 浙江天台縣人歷都御史　鄧祖賢 江西大庾縣人由茂才

吉希古

李臯　顏檜 山東曲阜縣人顏子五十八代孫

尚致中

張敏 御史謫

孫子彰

盧何生 江西南豐縣人

趙銓 山東壽光縣人歷府同知

梁思忠 直隸寶應縣人由孝廉

永樂

盧文政 湖廣江夏縣人由舉人歷太僕卿

王仕敬 江西武寧縣人由吏員

李成

張貞
石確直隸昌黎縣人
宣德
李銘直隸東光縣人
鄔璿陞知縣
王侃陝西人
劉海直隸遷安縣人
正統
鄔璿江西新昌縣人由吏員
丁直浙江上饒縣人
郭鼐山東新泰縣人
張賔直隸永平縣人
楊楫湖廣潛江縣人
鄧銓江西興國縣人
尹弼直隸栢鄉縣人

景泰　龍儀江西南昌　栗敬山西岢嵐州人

天順　李溥直隸長垣縣進士　熊奎江西南昌縣人由吏員　李仁端江西南昌縣人

員賢陝西咸陽縣人由貢生　宋必華

成化　靳璋順天順義縣人由舉人　徐方四川城都府人　韓欽直隸贊皇縣人監生

劉時山東曹縣人　趙鎔河南汲縣人由監生

白忠湖廣華容縣人由進士　秦福直隸內丘縣人　羊敬江西九江府人由吏員

王鼎陝西人

陳福湖廣漢陽縣人由進士陞主事　田甫山西太原府人　楊順直隸保定府人由監生

祁壽河南汝州人由監生

熊達 江西南昌府人由進士陞御史歷參政

周浩 浙江龍泉縣人由監生

盧泰

張寧

李海

劉鼒 陝西蒲城縣人由吏員

涂參 江西南昌府人由吏員

弘治

沈瓚 順天大興縣人由進士

龔思忠 湖廣永定縣人

祁貞

士

崔浩

楊茱　四川永川縣人由進士御史謫陞通判

韓紘　山西石州人由監生

陳操　浙江太平縣人

宋清　江西南昌府人

符觀　江西新喻縣人由進士歷參議

田琰　直隸博野縣人由監生

徐淮　廣西臨桂縣人由進士歷知州

胡鑑　江西浮梁縣人由吏員

田墀　河南襄城縣人由舉人陞御史

嚴清　湖廣溆浦縣人由監生

況璟　江西高安縣人由進

王成　山西絳縣人由吏員

士　葛昇開平衛監生

正德　黄雄北直人由進士

張行甫直隸大興縣人由進士

嚴時泰浙江餘姚縣人由進士

周宗本廣東人由進士

莊哲福建晉江人由舉人

嘉靖　湯廸四川潼川縣人由進　梁九皐　羅廷相江西吉水縣人

士

邊宓 直隸任丘縣人由監

由監生陞知縣

阿其麟 山西代州人由

生

李復光

進士

許暹

賈鑾 湖廣人

郭廷臣 山西人由舉人

周懋光 福建莆田縣人

曾爵 胡廣人

楊言 浙江鄞縣人由進士

完顏佑 河南人由監生

高節

給事中謫歷副使

陳策 浙江慶元縣人由監

章錄

謝崑 福建同安縣人由進

生

吳可久

士

羅金 江西人由吏員

韓琳 山東清平縣人由監

葉賢 江西貴溪縣人由舉

沈孝孚 浙江餘姚縣人

生

人

由吏員

胡可行

盧金潤　廣東人由舉人
郭從華　浙江諸暨縣人由監生
喬嵒

唐仁　浙江蘭溪縣人由進士
張瀛　順天府人由貢生

盧相　河南許州人
談從忞　浙江德清縣人

呂光洵　見府尹
許汝爲　浙江孝豐縣人由監生
徐錕　浙江人

王士翹　江西永新縣人由進士歷副都御史
王萬斛　山東人

魏鉞　山西人由監生
彭駟　江西宜春縣人

田經綸　順天府人
鄭紹英　廣東人

沈鍊　浙江會溪縣人由進士歷錦衣衛經歷贈大理寺少卿
俞祐　四川人由貢生
殷伯　湖廣應城縣人

孫鵾　浙江奉化縣人由監生

姜傅江西南昌縣人由進士歷僉事

蒙鼐廣西柳州府人由貢生

蔡揚金河南衛輝衛人由進士歷布政使

馬騰漢陝西人由監生

文孟麟江西豐城縣人由吏員

鄭一龍福建惠安縣人由進士歷苑馬卿

盧槐廣西人由貢生

林命福建安人由進士歷參政

王諍 浙江永嘉縣人由進士歷副都御史

林應節 福建莆田縣人由進士歷叅政

趙應元 浙江仁和縣人由進士調奉新

隆慶

盧漸 浙江鄞縣人由進士歷員外郎

郭堯 浙江蘭溪縣人由監生

李光先 山西汾西縣人由監生

鄒學桂 浙江餘姚縣人由進士歷員外

蕭桐 順天涿州人由貢生

鄭友善 湖廣澧州人

馬應辰 河南蘭陽縣人

郎　由貢生匠工正

萬曆

帥蘭湖廣江陵縣人由進士　張涵浙江仁和縣人由儒士　劉嘉言河南清川縣人由監生

魏良臣福建甄寧縣人由進士　姚柯廣東歸善縣人由貢生　周希旦廣西賓州人由貢生

王應麟福建龍溪縣人由進士　周子愛浙江餘姚縣人由知印　顏盜瀾福建晉江縣人由監生

潘大復浙江烏程縣人由進士　胡子溫　朱蘭山東范縣人由監生

李原中浙江秀水縣人　車良輔　艾仲齡四川閬中縣人

| | | |
|---|---|---|
| 由進士 | | 由監生 |
| 王如珪 浙江永嘉縣人由舉人 | 黄正 | 馮潮 江西永寧縣人由監生 |
| 李本固 山東臨青州人由進士 | 郝敏問 浙江象山縣人由歲貢 | 韓楷 山東昌邑縣人由監生 |
| 李光祖 江西南昌縣人由進士 | 劉仁溉 浙江雲和縣人由選貢 | 公一聘 山東蒙陰人由選貢 |
| 徐縉芳 福建晉安縣人由進士 | 錢一經 | 張應豸 浙江浦江縣人由監生 |
| 夏煒 浙江烏程縣人由進 | 李夢龍 | 邵江 浙江蘭溪縣人由吏 |

士　　員

江桂　四川内江縣人由進士　易士道　李承芳

馮登瀛　浙江秀水縣人由進士　駱元善　蔣明龍

倪楚玉　福建福青縣人由進士　王汝期　金永隆

王　先　湖廣羅田縣人由進士　方嘉慶

天啟

戴燁 福建長泰縣人由進士
趙志科 湖廣永州府人由貢生

王允升 浙江慈谿縣人由進士
林可久 福建武平縣人由貢生

韓讓 浙江蘭溪縣人由進士
吳某 浙江嘉興府人由吏員

崇禎

丁聖時 湖廣巴陵縣人由進士
陳諒 湖廣始興縣人由歲貢
吳某 浙江孝豐縣人由監生

李思恂 雲南人由進士
孫某 山東鄒平縣人由歲貢
黄日芳

鄧林枝　湖廣漢陽府人　易世璧　江西人

許承欽　湖廣漢陽府人由進士　嚴御風　浙江歸安縣人由保舉

金和　浙江平湖縣人由進士

傅箕儒　廣東醴陵縣人由進士

李思謨　江西浮梁縣人由進士

| 大清 | 溧陽縣知縣 | 縣丞 | 典史 |
| --- | --- | --- | --- |
| 順治二年 | 朱正色浙江山陰縣人由監生 | 陳諸麟遼東人由生員 | 戴啓恩杭州府人 |
| 三年 | | 李鳳鳴順天大興人由吏員 | 沈一乾浙江山陰縣人 |
| 四年 | | | |
| 五年 | 吳元玠浙江仁和縣人由生員 | 劉兆崧河南睢州人由貢生 | 何元哲浙江山陰縣人 |
| 六年 | | | |
| 七年 | | 胡璘順天大興縣人由吏員 | 陳必達浙江山陰縣人 |
| 八年 | | | |

九年　尚德　遼東人由生員　丁正己　浙江諸暨縣人

十年　丘貢瀛　江西南豐縣人由舉人　由監生

十一年　林冲霄　順天大興縣人由貢生

十二年

十三年　林文輝　福建候官縣人由進士　黃雯旦　福建莆田縣人由貢生

十四年

十五年

十六年　趙熛　江南安東衛人由貢

生

十七年 方期星 龍東縣人由貢生

十八年 崔光嵩 山西人由貢生

張瓚 山東武定州人由貢生

康熙元年

二年

三年 徐一經 湖廣江陵縣人由舉人

四年

五年

六年

七年 吳呈瑞 稷山人由歲貢

八年 楊應標 浙江餘姚人由進士

九年

十年 王錫琯 永嘉人由進士

十一年 張捷 遼東人官生

十二年 周鼎 滎陽人由貢生

十三年 何龍春 南海人由舉人

十四年

十五年 周鋶傑 陝西富平人

十六年

十七年 裴褒 新安人由進士 袁士俊 睢州人由貢生 張志聖 靜海人

十八年

十九年 馬呈祥 廣寧人

二十年 韓先格 紹興人由例監

二十一年 魏湛 孟津人由舉人 楊中極 陝西富平人

二十二年 成懋勳 長垣人由舉人 文傅 臨清人由貢生

江寧府志　卷之十六　五十

明 溧陽縣儒學教諭 訓導

洪武 秦約 直隸崇明縣人 王可貞 邑人

呂升 浙江山陰縣人由舉人歷大理少卿

永樂 梁混 江西泰和縣人 陳餘

正統 陳仝 金富

龔寬 郁復

余遷 江西泰和縣人

景泰 王貫 浙江處州府人 許仕 福建莆田縣人

天順 王稌 江西泰和縣人 王淙 浙江錢塘縣人由舉人陞助教

成化

趙璉　浙江上虞縣人由舉人

施俊　福建侯官縣人由舉人

聶瑋　江西豐城縣人由舉人

江濂　直隸棗强縣人由舉人

范繹　浙江天台縣人由舉人

包恕　浙江桐廬人由貢生

楊盛　河南臨漳縣人由舉人陞教授

孔文獻　湖廣光化縣人由舉人陞教諭

劉嵩　直隸鹽山縣人由舉人歷兵馬指揮

陳鏞　浙江定海縣人由貢生

劉致中　浙江黄巖縣人由舉人

陳宗泰　福建長樂縣人由舉人

弘治

包玉　雲南大理府人由舉人

李良卿　福建閩縣人由舉人

夏盛　雲南金齒衛人由貢生

楊敞　貴州宣衛司人由舉人

正德

李元宏 浙江黄巖縣人由舉人

陳軒 福建甌寧縣人由貢生

嘉靖

吳旻 湖廣江夏縣人由舉人歷知州

李奎 江西南城人

孫憲 浙江奉化縣人由舉人陞知縣

劉木 湖廣麻城縣人由舉人歷知縣

張泮 廣東東莞縣人由貢生

韓澄 浙江慈谿縣人由貢生

余人俊 福建將樂縣人

嚴佑 浙江奉化縣人由貢生

陳至德 廣東湖陽縣人由舉人陞教授

毛渭 浙江人由貢生陞知縣

陳應鶚 福建延平縣人由舉人陞知縣

趙濮規 浙江樂清縣人由貢生

李瓚 江西豐城縣人由舉人陞知縣

曾元炳 福建古田縣人由貢生陞教諭

林楚 福建漳浦縣人由舉人陞知縣

應大經 浙江仙居縣人由貢生陞學正

王以佐福建閩縣人由貢生陞教授

遲銘山東昌邑縣人

周松江西萍鄉縣人

胡寶江西餘干縣人由貢生陞教諭

黃叅福建漳浦縣人由貢生陞教諭

孫位福建閩縣人由貢生陞教諭

王良知浙江山陰縣人由貢生陞教諭

禹文美湖廣公安縣人由貢生陞教諭

顧元定浙江嘉善縣人由貢生陞教諭

孫憲相山東東平縣人由貢生陞教諭

隆慶　蔣煥廣西全州人由貢生

唐一元湖廣東安縣人由貢生陞學正

吳耀 湖廣零陵縣人由舉人陞知縣
林若桂 福建南平縣人由貢生陞教諭

王繼鳴 廣東海陽縣人由貢生陞教授
董朝璋 福建松溪縣人由貢生陞教授

成詠 直隸興化縣人由貢生

萬曆

陳紀 四川成都府人由舉人
洪文量 雲南左衛人由貢生

陳高節
郭上卿

梅調鼎
譚曾

盧如載
郭益臣

王道
徐日乾

林翰英
嚴陽

陳世科
繆元亨

蕭以裕　趙世隆

楊萬廉福建晉江縣人由舉人　魏光祚

陸可久　施于蕃

程元濟湖廣黃岡縣人由舉人　王廷鶴

劉永基浙江山陰縣人由進士　沈遜

金維基直隸吳縣人由舉人　陳輗

天啓

徐弘謨直隸宣城縣人由舉人　朱繼文

韓治直隸長洲縣人由舉人　謝萬亨直隸武進縣人

杜祝進湖廣黃岡縣人由舉人　載時雍

崇禎

唐德興直隸宜興縣人由舉人　周之禎

范汝慶　浙江蘭谿縣人　由歲貢
吳應簡　直隸瀆沘縣人　由舉人
陳自興　直隸青陽縣人　由舉人
歸斯受　直隸崑山縣人　由舉人

方鑾
孫憝述　直隸青陽縣人
盧士果　直隸山陽縣人
譚一龍　湖廣人
秦玫　直隸霍山縣人
陳盛欀　湖廣景陵縣人　由恩貢
蘇孔卓　直隸邳州人
王問臣
顧名義　直隸泰州人
鮑欽韶　直隸桐城縣人

吳大麟　直隸貴池縣人

張啓用　直隸績溪縣人

程思南　直隸徽州府人

王元霖　直隸蕪湖縣人

王日新　直隸碭山縣人

大清　溧陽縣儒學教諭　　訓導

| 教諭 | 訓導 |
| --- | --- |
| 順治　俞應昌河南固始縣人由貢生 | 陸舜臣浙江山陰人由貢生 |
| 沈壽賡寧國府宣城縣人由貢生 | 江允元徽州府休寧縣人由貢生 |
| 王輔聖廬州府人由貢生 | 黃敦素徽州府人由貢生 |
| 吳　邃常州府宜興縣人由舉人 | 方廷春池州府東流縣人由貢生 |
| 瞿中錫蘇州府常熟縣人由舉人 | 康熙三年訓導奉 |
| 汪奮麟徽州府休寧縣人由舉人 | 裁十六年復設 |
| 史鼎玉鎮江府金壇縣人由舉人 | |
| 鄔繼白鎮江府丹徒縣人由貢生 | 張玉駒泰興人 |
| 顧　焻常州府無錫縣人由貢生 | 胡廷對歙縣人 |

明　溧水州知州

國初　鄧鑑

顧登

郭雲　湖廣隨州人改知縣

溧水縣知縣　縣丞　主簿

郭雲　陞指揮僉事　呂秀山　柯原立

段成初　黄銓　句容縣人由楷書

張復禮

汪仲彰

高謙甫　浙江平陽縣人

趙文振

建文　陳宗銘浙江雲和縣人由賢良署布政使謫調瀏陽

永樂　賈真直隸廣平人

朱必暄

鄭仲源浙江臨海縣人

廖以仁

鐘孚

侯康

王賓

正統 陳成 韋忠 楊禧賢

王懌浙江山陰縣人 張智 李斌

歐陽鳳 袁方 杜篪

卓典

天順 張昱廣東人 白琛 郭昶

張健直隸真定府人 楊海 馬聰

蕭通江西泰和縣人由貢生

張瑾

成化

夏環　江西豐城縣人由進士　王臣　潘珍

燕壽　陝西咸寧縣人由舉人　張春　王誠

王鼎　浙江黃巖縣人由進士歷知府　周弁　白玘

李源　陝西汾州人　李鑑

甯賢　直隸定邊衛人由進士　韓伯聚

楊傑

劉鳳

焦雄

李芳

楊昌隆

劉仕弘

弘治

張熊 江西德興縣人由進士

張璲 順天霸州人由吏員

史英

李文盛 直隸盧龍縣人由舉人

王鶴

白璽

邢勉

曹玉 山東嘉祥縣人由進士

尚達

王堂

陶煦 浙江秀水縣人由進士

高魁

士

胡玥　湖廣襄陽縣人由進士歷布政使

正德

張天錫　順天霸州人由進士　　趙琰　　金鑾

許芳　　張懿

陳銘　浙江會稽縣人由進士　　姚陽　　李達

朱政　　武福

陳憲　江西餘干縣人由進士歷參議　　周禮　　陰豸

盧悅

何東萊　四川瀘州人由　　王宗仁

舉人

張依仁

嘉靖

王從善 湖廣襄陽縣人

孫龐 陝西澄城縣人由監生

黃旻 江西豐城縣人由監生

高翀 江西新淦縣人由進士歷都御史

王選 浙江鄞縣人由監生

胡寧 太嵩衛人由監生

梅時用 江西星子縣人由監生

童久仁 江西廣信縣人由知印

張問行 直隸內黃縣人由進士御史謫歷郁御史

江紹 浙江奉化縣人由監生

弭宦 山東章丘縣人由監生

胡鳳 湖廣黃梅縣人由進士歷副使

陳陽 四川蓬州人由監生

郭銘 河南唐縣人由監生

張仁 四川建昌衛人由監

饒珙 江西臨川縣人由監

杜朝聘　山東東阿縣人　生　生
由進士歷主事　俞慎　浙江仁和縣人由吏　劉繼儒　河南汝陽縣人
陳光華　福建莆田縣人　員　由監生
由進士歷按察　喬世禎　山東萊陽縣人　李賁　廣西武宣縣人由監
使　生
謝廷蒞　四川富順縣人　曾鳳儀　廣東和平縣人　鄭宗武　福建閩縣人由
進士給事中謫　由貢生　吏員
歷僉事　趙珠臣　四川內江縣人　蕭露濡　河南汝陽縣人
陳公陛　福建閩縣人由　由貢生　由監生
進士郎中歷副　李文通　浙江縉雲縣人　馬時中　河南湯陰縣人

使

由吏員

由監生

鄧巍 湖廣瀏陽縣人由進士陞御史

聶廷芳 江西清江縣人由監生陞衛經歷

劉潤 山東高密縣人由監生

周堂 河南鹿邑縣人由監生

包桐 浙江鄞縣人由舉人

欒尚約 山東膠州人由進士陞御史

余大韶 福建順昌縣人由監生

姜從周 山東即墨縣人由貢生陞縣丞

曾震 四川合江縣人由進士歷叅議

田自能 直隸博野縣人由貢生

孫祿 順天通州人由監生陞縣丞

周之屏 湖廣湘潭縣人

鄭周 福建永定縣人由監

由進士歷提學

陳文謨　浙江慈谿縣人由進士

賀一桂　江西廬陵縣人由進士陞御史

生

陳邦言　浙江建德縣人由吏員陞縣丞

杜藻　山東濟陽縣人由監生陞衛知事

鄒木　浙江餘姚縣人由承差

劉淶　湖廣麻城縣人由監生陞縣丞

甲鎧　直隸肥鄉人由監生

隆慶

劉應雷 江西萬安縣人由進士

王之綱 湖廣夷陵縣人由舉人中書舍人謫陞知縣

馬麟 山西大同左衛人由貢生陞紀善

陳洧 河南真陽縣人由貢生

程大器 河南確山縣人由貢生

馬應龍 雲南阿迷州人由貢生

王南山 順天容雲縣人由貢生陞典寶

萬曆

傅應禎 江西安福縣人

郭一奎 江西安遠縣人由貢生陞典寶

鄧䨮 浙江仁和縣人由監生陞縣丞

吳仕銓 浙江歸安縣人

胡行謙 湖廣蘄水縣人

婁愛 浙江會稽縣人由監

由進士

生

陳子貞　江西南昌府人由進士

戴士克　浙江鄞縣人由例貢

陳鎬　浙江羅山縣人由歲貢

杜允繼　直隸順天府人由進士

傅湟　直隸定興縣人由恩貢

邵紳　浙江武義縣人由監生

喻言興　江西南昌府人由進士

袁時行　廣東博羅縣人由恩貢

閻守仁　直隸易州人由歲貢

徐必達　浙江嘉興府人由進士

王春澤　河南商水縣人由恩貢

徐性成　浙江上虞縣人由例貢

余士奇　廣東東莞縣人

朱紫雲　浙江秀水縣人

曾一傳　湖廣蘄水縣人

由進士　由監生

王德坤　浙江烏程縣人　由進士
何復清　廣東南海縣人　由吏員
陳腆　福建海澄縣人由吏員

徐良彥　江西新建縣人　由進士
孫應捧　浙江嘉興府人　由吏員
蔣元勳　江西泰和縣人　由吏員

天啓

朱正修　江西新建縣人　由進士
陳善道　浙江山陰縣人　由吏員
王文潛　浙江永康縣人　由吏員

董懋中　浙江山陰縣人　由進士
文炳　四川石泉縣人由選貢
趙應和　江西南昌府人　由吏員

洪贊宇　福建晉江縣人
羅達　湖廣漢陽府人由歲
朱元佩　浙江會稽縣人

由進士　貢　由吏員

張錫命 四川潼川縣人由進士　楊彩鳳 湖廣城步縣人由恩貢　周書 浙江崇德縣人由吏貢

崇禎

李可埴 湖廣善化縣人由進士　王洵 四川瀘州人由選貢　姚時俊 浙江蘭谿縣人由知印

曾就義 江西贛州府人由進士　王景文 浙江分水縣人由監生　李孔珍 北直邯鄲縣人由監生

龔士驤 浙江義烏縣人由進士　趙建猷 陝西西安府人由選貢　葉祥雲 江西廣信縣人由監生

楊邦翰 廣東南海縣人　董三槐 北直興濟縣人　何仁天

由進士　由選貢

陳汝登　浙江溫州府人　由舉人

葛明臣　浙江仁和縣人　由吏員

劉京生　江西南安縣人

余厥成　浙江鄞縣人　由舉人

陳士珍　雲南晉安州人　由廩監

高騰　浙江平湖縣人　由吏員

鄺洪炤　廣東南海縣人　由舉人

劉文允　浙江錢塘縣人　由副榜

吳士楨　浙江平湖縣人　由吏員

王觀瀛　浙江山陰縣人　由進士

錢大儀　浙江餘姚縣人　由貢生

汪翼震　福建晉江縣人　由吏員

游應龍　湖廣人　由舉人

袁之澄　浙江烏程縣人

由監廩

吳邦儲　湖廣興國縣人

陳堯文　浙江山陰縣人　由監生

陳登濟　福建人

大清 溧水縣知縣 縣丞 典史

順治二年 羅佳士 北直新安縣人由貢生 陳瑞圖 山東人由監生 方志道

三年 楊國禎 遼東景州人由貢生 段袗 山西太原府人由貢生 潘國棟

四年 王鼎應 山東淄川縣人由進士

五年 安應晬 遼東人由生員 于昌禧 浙江人由吏員 萬國守

六年

七年　張杲北直安肅縣人由吏員

八年

九年閔泒魯河南祥符縣人由拔貢

十年

十一年

十二年

十三年

十四年車輅直隸滄州人由舉人任　朱育恩浙江紹興府人由吏員

十五年 饒應元 湖廣蘄水縣人 由舉人 劉維運 陝西中部縣人 由拔貢 李元敬 陝西白水縣人 由吏員

十六年

十七年

十八年

康熙元年 馮泰運 直隸撫寧縣人 由拔貢

二年

三年

四年

五年

六年

七年　張聯芳臨汾人由例貢　丁文耀北直大興人

八年　李作楫東莞人由進士

九年

十年

十一年

十二年　劉登科旗下由舉人

十三年

十四年

十五年

十六年 趙世臣 旗下由廕生

十七年 饒于瓊 景陵人由例貢

十八年

十九年

二十年 鄧蔚 廣西全州人由舉人 王國璽 井陘人由吏員

二十一年 宋師郊 伏羌人由選貢

二十二年 徐傑 旗下由例監

明 溧水縣儒學教諭 訓導

洪武 姚崇文 直隸華亭縣人 朱 潤 邑人

蔡 中 朱 芾

永樂 王 丞

正統 張彥良 江西豐城縣人 吳 復 福建閩縣人

景泰 劉 釗 江西人

天順 楊 澄 周 珣 江西吉水縣人

韓 和 江西鉛山縣人由舉人 陳弘載 江西吉水縣人

陳 睿 江西安福縣人由貢生

陳 安 福建閩縣人由舉人

成化　林挺

丘野　江西臨川縣人由舉人

徐綬　河南杞縣人由舉人

郭鉉　浙江嘉興府人由舉人

安靜　河南武安縣人由舉人

薛諠　福建閩縣人由舉人

潘埜　廣西桂林府人由舉人

吳世溥　浙江天台縣人由舉人

弘治　張居敬　浙江新昌縣人由舉人

許洪

曾憲　江西泰和縣人由舉人

翁紳

徐爵　四川大竹縣人由舉人

鄒江　浙江餘姚縣人

劉文宗　河南汝州人由舉人

王鋼　浙江慈谿縣人由貢生

正德

龔棠　廣西全州人由舉人　　盧珊　山東蓬萊人由貢生

于朴　直隸河間府人由舉人　　馮萬濃　廣東海陽縣人由舉人

唐世卿　浙江海寧縣人由舉人　　谷仁　湖廣邵陽縣人

杜鈞　本學訓導陞　　杜鈞　湖廣江夏縣人由貢生

方彥　福建莆田縣人由舉人　　楊鳳　江西泰和縣人由舉人

楊覲　四川新繁縣人由貢生

嘉靖

李早　湖廣永興縣人由舉人　　王庠　浙江遂昌縣人由貢生

陳誥　福建莆田縣人由貢生　　彭璬　江西浮梁縣人由貢生

曾嘉誥　湖廣麻城縣人由貢生　　王瑞　江西峽江縣人由貢生

劉翶　直隸任丘縣人由貢生　　何曇　浙江麗水縣人由貢生

李梓芳　湖廣華容縣人由舉人陞知縣

王艮翰　山西應州人由貢生陞教授

吳應隆　貴州銅仁縣人由舉人陞知縣

沈　琪　浙江德清縣人由貢生陞教授

吳　會　江西南安縣人由貢生陞教授

葉露新　雲南古衛人由舉人歷長史

張世華　浙江建德縣人由貢生陞學正

施大本　浙江德清縣人由貢生

陳　策　福建同安縣人由貢生

張司直　直隸永平衛人由貢生

何如房　浙江建德縣人由貢生

張　瑄　福建平和縣人由貢生陞教諭

黄積慶　江西金谿縣人由貢生陞教諭

林　雨　浙江平湖縣人由貢生陞教授

辛　纉　浙江蘭谿縣人由貢生陞學正

陳良佐　四川新寧縣人由貢生陞教諭

張思明

甘廷魁 福建侯官縣人由貢生陞教諭

隆慶 楊文富 福建歸化縣人由貢生陞教授
姚仁 遼東人

丁永曉 湖廣武陵縣人由舉人陞知縣
唐惟恂 湖廣東安縣人由貢生陞知縣

宋天朴 直隸滑縣人由貢生陞教諭

萬曆 朱大愚 華亭縣人由貢生
阮化 浙江於潛縣人由貢生

高汝梅 浙江仁和縣人由舉人
呂光器 浙江新昌縣人由貢生

王立道 長洲縣人由舉人
敖琇 江西人由貢生

龎尚龍 廣東人由舉人
潘聚 嘉定縣人由貢生

傅恕 浙江人由貢生
張衷 福建人由貢生

馮應元 東流縣人由舉人
陳宗器 江西人由貢生

宗　賢　寧國府人由貢生　李大經　崑山縣人由貢生

泰昌

孫承祿　蘇州府人由舉人　張希文

天啓

吳　煒　由舉人　趙汝恒

袁允元　江西人由舉人　王應聘

傅時勉　無爲州人由舉人　蔣之英　崑山縣人由貢生

湯景明　雲南人由進士　岑鳳鳴

蔣應昌　雲南人　任　寀

許用卿　宜興縣人由舉人　羅應唐　貴州人

崇禎

吳孝可　當塗縣人由貢生　賈宗祿　徐州人由貢生

吳來縉　湖廣人由貢生　吳　憬　淮安府人由貢生

戴金章宿遷縣人由貢生　李應台太平府人由貢生

王奇安慶府人由貢生　倪自治桐城縣人由貢生

何應選宣城縣人由貢生　程士崇太平縣人由貢生

馮泰交丹徒縣人由貢生

大清　溧水縣儒學教諭　訓導

| 教諭 | 訓導 |
| --- | --- |
| 順治 劉成性 遼東人由貢生 | 程名達 儀真縣人由貢生 |
| 王應期 直隸安肅縣人由選貢 | 陸經 北直大興縣人由教習 |
| 吳鼎玫 武進縣人由舉人 | 陳紹恩 寧國府人由貢生 |
| 朱宏憲 全椒縣人由舉人 | 紀甲第 碭山縣人由貢生 |
| 康熙三年教諭奉 | 劉有聲 泗州人由貢生 |
| 裁十六年復設 | 張克遇 潛山人由貢生 |
| | 程之望 婺源縣人由貢生 |
| 張新杼 淮安府山陽縣人由舉人 | 吳愉 長洲縣人由歲貢 |

| | | | |
|---|---|---|---|
| 明 | 高淳縣知縣 | 縣丞 | 主簿 |
| 弘治 | 宋澄 浙江臨海縣人由舉人 | 錢瓛 浙江烏程縣人由監生 | 孟晟 山東益都縣人由吏員 |
| | 劉傑 山東人由舉人 | 單璧 河南固始縣人由監生 | 王海 直隸任丘縣人由吏員 |
| | 林琦 山東人由舉人 | 劉景 直隸蠡縣人由監生 | 宋麟 山東濟南縣人由吏員 |
| | 熊吉 江西臨川縣人由進士 | | 張吉 湖廣桃源縣人由監生 |
| 正德 | 李岫 順天宛平縣人由舉 | 吳璘 河南魯山縣人由監 | 劉真 直隸博野縣人由吏 |

人

員

王廷相 河南嵩縣人由進士給事中摘陞御史　王堂 山東護衛人由監生　劉芳 四川成都府人由監生

廖威 湖廣興山縣人由舉人

閻茂 河南洛陽縣人由舉人

何天衢 湖廣偏橋衛人由監生　閻相 陝西渭南縣人由知印

黃大源 福建莆田縣人由進士　馬雲 河南宜陽縣人由監生

頓銳 涿鹿左衛人由進士　崔廷弼 由貢生　閻宗禮 直隸清豐縣人由監生

施懋 山東東陽縣人由舉　周鼎 浙江人由監生

人
陳艮山莆田人由舉人
嘉靖
劉啟東羅山人由舉人　易文臨川人
胡愷餘姚人由舉人　王思仁山東人
伍鐙晉江人由進士　王楠北直人
祝廷玉侯官人由舉人　張璁景州人

劉汀 南宮人由進士 潘湜 上高人

陶秀 南城人由舉人

革惠 崇陽人由舉人

胡儒 由舉人

黃餘慶 安義人由舉人

王杰 浙江烏程縣人由進士

程仁 浙江金華府人由監生

黃德裕 江西浮梁縣人由舉人

陸隅 浙江湖州府人由舉人

方沂 江西浮梁縣人由舉人陞知州

薛孟李　浙江嘉善縣人由舉人

李德望　江西新淦縣人由舉人

隆慶

鄧楚望　湖廣麻城縣人由進士歷知府

鄧楚望　副使謫陞知縣

王伯璉　江西永豐縣人由吏員

段以中　山東陽穀縣人由監生

江和　江西進賢縣人由進士調錢塘

姚志學　直隸永年縣人由貢生

夏大勳　廣東饒平縣人由舉人

李鸞鳴　浙江義烏縣人

張佐治 福建平和縣人 由進士調長興

王體升 浙江錢塘縣人 由舉人

萬曆

李永 湖廣荊門州人由舉人

張淳 直隸河間縣人由監生

王居正 山西臨津縣人由監生

董艮遂 湖廣京山縣人由舉人

顧行 浙江錢塘縣人由監生

葉清 福建邵武縣人由監生

董岐鳳 雲南石屏州人由舉人

董文煌 由歲貢

徐瑤 山東人由監生

王憲臣 浙江人由監生

徐升 直隸雄縣人由監生

劉煬　浙江山陰縣人由選貢
艾有駱　陝西米脂縣人由監生
王應時　湖廣羅田縣人由監生
丁日近　福建晉江縣人由進士
唐熙載　直隸曲州縣人由選貢
董裕　山西人由監生
袁昂　直隸東名縣人由監生
趙瑄　浙江臨安縣人由舉人
王景瞻　浙江淳安縣人由吏員
曾堡　山東德州人由吏員
項維聰　浙江永嘉縣人由進士
晏朝賓　河南雎安人由選貢
劉繼昇　山東德州人由吏員
宋祖騰　福建莆田縣人由進士
張鍾　湖廣人由貢生
張應麟　福建人由監生

沈化 直隸廣平府人由舉人
周易升 福建人由監生
龔廷華 江西人由貢生
黄名卿 江西建昌縣人由舉人
唐登儁 四川富順縣人由進士
李允任 福建福清縣人由舉人
譚經濟 雲南石屏州人由舉人
周汝慧 北直人由貢生
徐大齡 浙江人由監生
泰昌

天啓

陳璧　江西商城縣人由舉人　陳安國　浙江人由貢生

莊鐸　廣西桂林府人由舉人

崇禎

梁一浮　浙江樂清縣人由舉人　陳禹德　浙江人由監生

費雲鳳　江西人由選貢

黃仲謙　江西南昌府人由舉人　張學周　四川人由選貢

羅一蘇　雲南人由選貢

杜冠世　陝西安化縣人由貢生　趙文徵　浙江紹興府人由監生

方廷昌 浮梁縣人由進士　沈天梁 嘉興府人由監生

周光霽 武康縣人由舉人　屠大棟 會稽人由都吏

李素 宜春縣人由進士

| 大清 | 高淳縣知縣 | 縣丞 | 典史 |
| --- | --- | --- | --- |
| 順治二年 | 呂福生 浙江山陰縣人由貢生 | 屠大棟 浙江會稽縣人由都吏 | 徐棨清 浙江上虞縣人由吏員 |
| 三年 | 丁啟泰 河南永城縣人由功貢 | 吳之艾 浙江山陰縣人由監生 | 徐提元 浙江會稽縣人 |
| 四年 | 崔掄奇 河南夏邑縣人由進士 | | |
| 五年 | | | |
| 六年 | | | |
| 七年 | | | |

八年

九年

十年 紀聖訓直隸寧津縣人由抜貢 孫旭芳浙江山陰縣人由監生

十一年 耿維巳北直淶水縣人由歳貢

十二年

十三年

十四年 繆振鵬浙江仁和縣人由吏員

十五年 褚秉謙遼東海州衛人

由貢監

十六年　順治十六年奉裁

十七年　孟復生　直隸河間府滄州人由歲貢

十八年　繆仁　浙江錢塘縣人由吏員

康熙元年

二年　葉自燦　浙江義烏縣人由儒士

三年

四年

五年

六年　張大垣　陝西三原縣人

由進士

七年

八年

九年

十年

十一年

十二年

十三年 劉澤嗣 吳橋縣人由廩生

十四年

| | | |
|---|---|---|
| 十五年 | | |
| 十六年 | 何端仁 | 山陰人由吏員 |
| 十七年 | | |
| 十八年 | | |
| 十九年 | | |
| 二十年 | 李斯佺 | 長山縣人由廕生 |
| 二十一年 | | |
| 二十二年 | | |

明　高淳縣儒學教諭　訓導

弘治　陳　貴　廣東歸善縣人由貢生　張　玗　浙江山陰縣人由舉人

劉大本　四川内江縣人由貢生

項　覺　浙江青田縣人由貢生

江　增　浙江常山縣人由貢生

徐　遵　河南固始縣人由貢生

正德　王　輔　山東歷城縣人由貢生　江　純　江西貴溪縣人由貢生

于　鳳　江西新淦縣人由舉人復補合肥贈主事　楊德修　四川長寧縣人由貢生

姚文材　福建莆田縣人由監生

鄧　富　江西新淦縣人由舉人　劉　滔　浙江奉化縣人由監生

徐一夔浙江山陰縣人由舉人　俞槩浙江桐盧縣人由監生
楊學書山東武定州人由舉人　潘佐浙江烏程縣人
黃豫福建侯官縣人由舉人　吳期暢江西永新縣人由監生
賈宗魯山東嶧縣人由監生　饒廷用湖廣華容縣人由貢生
楊袗湖廣武陵縣人由舉人　蔡偕江西金谿縣人由貢生
張鑾浙江錢塘縣人由舉人　朱宏江西南城縣人由貢生
楊暉福建侯官縣人由舉人　鍾憲鼎江西萬載縣人由貢生
徐圭浙江錢塘縣人由舉人　柴芝浙江江山縣人由貢生
蔡芳湖廣沔陽州人由貢生　謝魁福建連城縣人由貢生
漆煌江西新昌縣人由舉人　徐錦河南均州人由貢生

胡乂心　浙江仁和縣人由舉人　　徐公輔　浙江開化縣人由貢生

劉龍　廣東東莞縣人由舉人　　錢相儒　浙江德清縣人由歲貢

劉松　湖廣孝感縣人由舉人　　劉綏　江西泰和縣人由貢生

隆慶

李九成　江西貴溪縣人由貢生　　劉本仁　湖廣上津縣人由貢生

李應蛟　浙江錢塘縣人由舉人陞助教　　朱寅　湖廣漢陽縣人由貢生

萬曆

陳道　浙江錢塘縣人由貢生　　張尚賓　江西萬安縣人由貢生陞教授

陳汝霖　四川內江縣人由舉人　　錢學　廣東東莞縣人由貢生

傅之德　吳縣人由舉人　　査熹　江西星子縣人由貢生

焦廷魁　太平縣人由貢生　　李亨陽　四川安縣人由貢生

楊勝梧　桐城縣人由貢生　　施伯祚　直隸宿州人由貢生

陳俶　桐城縣人由貢生　保光先　河南葉縣人由貢生

廖鶚　廣西靈川縣人由貢生　方文明　歙縣人由貢生

孫如塤　山東恩縣人由貢生　羅泮　山東新城縣人由貢生

許夢芝　長洲縣人由貢生　鄭儒　陝西西安府人由貢生

凌子僉　歙縣人由舉人　黃兆熊　吳縣人由貢生

王同祖　通州人由貢生　衛可徵　山陽縣人由貢生

吳濤　蕪湖縣人由貢生　龍守禮　蕪湖縣人由貢生

陸時選　蘇州府人由舉人　王文炯　涇縣人由貢生

天啓

王三傑　懷遠縣人由舉人　時大舉　虹縣人由貢生

李大載　浙江永嘉縣人由貢生　唐三省　含山縣人由貢生

李章元江西廣信府人由舉人　劉　崇豐縣人由貢生

張其蘊沛縣人由舉人　沈文淵貴州人由貢生

崇禎

郭維藩豐縣人由貢生　張大行廣德州人由貢生

曾　裕江西泰和縣人由舉人　朱國棟蘄州府人由貢生

趙碩來涇縣人由舉人　吳鼎臣福建建寧縣人由貢生

汪　鉉安慶府人由舉人　王鼎鉉長州縣人由貢生

李長似興化縣人由舉人　許爾芳歙縣人由貢生

辜大方江西人由貢生

孫在憲貴池縣人由貢生

許大成歙縣人由貢生

施承芳生　青陽縣人由貢

俞應試生　繁昌縣人由貢

丁　煜生　鳳陽府人由貢

趙三祝生　廬州府人由貢

莫天洪

祖大明　遼東人由貢生

許昌緒　寶應縣人

竇應茂　貴州人由選貢

大清　高淳縣儒學教諭　訓導

楊世寶福建建寧縣人由貢　吉　甫丹陽縣人由貢生

由舉人

束時泰丹陽縣人由舉人　徐應星江陰縣人由貢生

曹承芳靈璧縣人由貢生　于　越金壇縣人由貢生

虞　嵊金壇縣人由舉人　程嘉謨績溪縣人由貢生

吉天助安慶府太湖縣人由恩貢　趙師孔滁州人由貢生

康熙三年教諭奉　吳之仲望江縣人由歲貢

裁十六年復設

卞汾陽揚州人由貢生　孟貞淳沛縣人由貢生

葉　楠松江上海縣人由歲貢　查維典長洲縣人由歲貢

名□

李　琪　貢合肥縣人由歲

胡士藻　生績溪縣人由貢

| 明 | 江浦縣知縣 | 縣丞 | 主簿 |
| --- | --- | --- | --- |
| 洪武 | 劉進 | 黃克庸 | |
| | 楊立 | | |
| | 仇存仁 | | |
| 永樂 | 龎俊 | | |
| | 周益 | | |
| 宣德 | 劉英 | 李文煥 山西廣寧縣人由貢生 | 張肅 直隸滿城縣人 |
| | 吳文達 山東樂安縣人由人材陞通判 | | |
| 正統 | | 陳端 浙江蘭溪縣人 | 蕭增 山東人 |
| | 嚴廸 | 賈琮 浙江永康縣人 | |

文彬　廣西臨桂人由舉人

景泰　羅信　河南固始縣人由貢生　尚聰　湖廣棗陽縣人由貢生　張宋道　江西南昌府人

勞鉞　江西德化縣人由進士歷知府

天順　王廸　直隸故城縣人由貢生　丁潮　潘源盛　廣東南海縣人

彭烈　江西吉水縣人由進士御史謫歷布政使　石清

成化　袁綱　四川雙流縣人由貢　張聰　山西嵐縣人　韓紹祖　山東章丘縣人

生

雷以時 河南西平縣人由進士

王欽 直隸清苑縣人由監生後裁革

趙續 直隸定興縣人由貢生

馬文麟 河南鈞州人由貢生調江陰

楊正 江西人

張鳳 江西宜春縣人由進士歷知府

林賁 浙江秀水縣人由進士

蕭育 江西泰和人由舉人

馬炳然　四川人由進士

弘治

胡昉　浙江蕭山縣人由進士　　楊思和　湖廣孝感縣人

高越　江西雩都縣人由監生

章文韶　浙江黃巖縣人由進士

胡孝卿　河南羅山縣人由監生

馬文盛　湖廣漢陽府人由進士陞通判

正德

吳華　江西臨川縣人由進士　　趙秉禮　山西陵川縣人由監生

秦銳　浙江山陰縣人由進士　　曹鎰　順天固安縣人

士
張忱 四川南充縣人
董遵 溧陽教諭陞
金溥 直隸撫寧縣人
魏題 湖廣蒲圻縣人由舉人陞知州
孫綬 河南鄭州人由進士
宋文戴 浙江淳安縣人由舉人

嘉靖

王立 直隸吳橋縣人由舉人
王卿 湖廣清浪衛人
李經緯 河南中牟縣人
耿瑶 河南盧氏縣人由進
葛綬 河南太康縣人

士

姚鸞　陝西溪州人

周錡　浙江鄞縣人由舉人

黃梱　浙江蕭山縣人由貢生

林繼臯　福建閩縣人由進士

楊熊

陳文浩　福建閩縣人由進士陞主事

丁天章　山西廣昌縣人由貢生

劉縉　廣西桂林府人由舉人

陳有孚　浙江餘姚縣人由監生歷通判

高祉　江西宜春縣人由舉人

司守約　湖廣興國州人由監生

黃昭　江西南昌府人由舉人

張峰　歷通判

侯國治　廣東南海縣人由舉人歷知府

黃晥　浙江浦江縣人由貢生

蕭惟馨　廣西桂林府人

由舉人陞知州

隆慶

李大瀾　福建晉江縣人由進士歷府同知

吳庠　江西上饒縣人由監生

沈渠　浙江山陰縣人

王之綱　見溧水陞通判

萬曆

周一經　江西貴溪縣人由進士陞主事

彭珪　湖廣黃岡縣人

沈孟化　福建永定縣人由進士

王壯　浙江山陰縣人由監生

余乾貞

夏希尹　福建福清縣人

孔祖光 廣西桂林府人由舉人

周鳴珩 湖廣人由監生

梁祖齡 四川溫江縣人由進士

周效賢 浙江人

鄭道 浙江餘姚縣人人由舉人

戴士允 浙江人

王守正 山東沂州縣人由進士

吳誥 浙江人

倪壯猷 浙江平湖縣人由舉人

祝大賓 浙江人

徐可求 浙江西安縣人由進士　楊可忭 江西人由貢生

梁可述 四川仁壽縣人由舉人　劉廷葆 江西人

劉汝立 湖廣襄陽府人由舉人　何三錫 浙江人

田壂 山東曹縣人由舉人　葉遇陽 江西人

馬茂良 廣東人由舉人

郎達 浙江人由舉人　許三德 浙江人

天啓

蔡亂之 直隸永年縣人

由舉人　方瓊廣東人

楊天申湖廣人由舉人　陳承恩浙江人

葛純一北直人由舉人

蔡兆祥廣東人由舉人

孟名世湖廣人由進士

張懋忠北直曲縣人由舉人

虞與負直隷廣平府人由舉人

余樞江西新建縣人由舉

人

崇禎　黏洪錄福建泉州人由舉人

李維樾浙江瑞安縣人由舉人

張堯年雲南人由舉人

田安國湖廣人由舉人

## 大清　江浦縣知縣　典史

| 年 | 知縣 | 典史 |
|---|---|---|
| 順治二年 | 沈之闓　由本縣教諭陞 | 范如源　紹興府人由吏員 |
| 三年 | 高奭　山東東昌府人由進士 | |
| 四年 | | |
| 五年 | | |
| 六年 | 劉天澤　遼東撫順人由貢生 | 王贊育　保安州人由吏員 |
| 七年 | | |
| 八年 | | |
| 九年 | | |
| 十年 | 閻宗尼　北直真定府人由進士 | |

十一年　齊敬修　陝西漢中府人由貢生

十二年

十三年

十四年　蔣上達　浙江人由吏員

十五年

十六年　許立達　湖廣武昌人由貢生

十七年　程瑞　江西南昌人由舉人

十八年

康熙元年　陸光彩　紹興人由吏員

二年

三年 徐龍光 山東東昌府人由貢生

四年

五年

六年

七年

八年

九年

十年

十一年

十二年 李四如 陝西三原人由吏員

十三年王舟瑶浙江餘杭縣人由舉人

十四年洪承龍福建全州府人由進士

十五年

十六年

十七年

十八年

十九年

二十年

二十一年

二十二年郎廷泰浙江仁和縣人由例監

明　江浦縣儒學教諭　訓導

永樂　祝廷心 浙江麗水縣人由舉人　孫 謨 浙江錢塘縣人由舉人

宣德　孫 鼎 江西廬陵縣人由舉人歷督學御史　孫 珙 浙江嘉興府人由舉人

正統　平 璉 湖廣沔陽州人由舉人　余 春 浙江遂安縣人由舉人

景泰　蔣 瑛 浙江錢塘縣人由儒士　羅處恭 江西永新縣人由儒士

天順　錢 金 浙江會稽縣人由舉人　陳 經 江西盧林縣人由儒士

成化　鞠 昂 直隸河間府人由貢生

吾 悍 浙江開化縣人由舉人　張思孔 四川眉州人由貢生

陳則安 福建莆田縣人由舉人　鮑 黼 浙江鄞縣人由貢生

敖　憲　湖廣華容縣人由舉人　陳　鰲　江西玉山縣人由貢生

黃思恭　四川安岳縣人由舉人　洪　忠　福建莆田縣人由舉人

張思孔　四川眉州人由貢生

廖　蘭　湖廣安鄉縣人由貢生

李　寬　直隸武強縣人由貢生

弘治

曹　珩　浙江奉化縣人由貢生　陸廷玉　縣人由貢生

蘇　範　廣東順德縣人由舉人　李　彪　江西餘干縣人由貢生歷教諭

林　符　廣東南雄縣人由舉人　漏　眞　浙江山陰縣人由貢生

譚　夔　廣東南雄縣人由舉人　鄭　岳　福建福清縣人由貢生

劉　惠　河南洛陽縣人由貢生

趙鉞 山東莒州人由貢生

正德

何琟 廣東南海縣人由舉人

王曾 福建莆田縣人由舉人

蔡邦紀 廣東海陽縣人由舉人

莫鈍 廣西荔浦縣人由舉人

劉虔 四川巴縣人由舉人

王進 直隸廣平府人由貢生

梁麟 河南許州人由貢生

楊鸞 浙江湯溪縣人由貢生

陳應奎 福建閩縣人由舉人

夌雲 浙江遂安縣人由貢生

龍壽山 江西萬載縣人由貢生

楊宗甫 江西分宜縣人由貢生

嘉靖

林桴 浙江瑞安縣人由貢生

孔彥綬 浙江臨安縣人由貢生

陶悅 廣西儀衛司人由舉人

鄒賢 江西南昌府人由貢生

胡　悊　湖廣沅州人由舉人　吳　珠　江西湖口縣人由貢生

謝　循　江西浮梁縣人由貢生　余　喬　福建永安縣人由貢生

吳　讓　江西浮梁縣人由舉人　陳　潛　福建莆田縣人由貢生

包一龍　浙江松陽縣人由貢生　董士齊　湖廣應山縣人由貢生

伍　與　湖廣松滋縣人由貢生　習　家　河南洛陽縣人由貢生陞教諭

王　賓　江西豐城縣人由舉人　黃　鍾　江西南昌府人由貢生

王振朝　江西贛縣人由貢生　戴　乾　浙江昌化縣人由貢生

周廷賓　廣東從化縣人由舉人陞學録　徐　圻　浙江龍游縣人由貢生

陳靜觀　湖廣宜都縣人由舉人陞知縣　張時相　四川松潘縣人由貢生

楊　恢　四川新都縣人由貢生　劉允璋　江西永新縣人由貢生

熊汝諧 湖廣崇陽縣人由舉人陞知縣
謝朝元 貴州婺川縣人由貢生　何世傑 四川彭水縣人陞教諭
馮科 浙江秀水縣人由貢生　謝元順 武進縣人由貢
曾子孝 浙江人由貢生　朱冕臣 浙江嘉善縣人由貢生
徐桐 浙江人由舉人　戴邦 泰州人由貢生
陳堯訓 湖廣人由舉人　凌襄 浙江人由貢生
謝君恩 直隸永年縣人由貢生　盧如容 滁州人由貢生
張問明 福建人由貢生　柴愚 海州人由貢生
蔣俊 湖廣人由貢生　蔡士登 湖廣人由貢生
孫承祖 青陽縣人由舉人　林喬 湖廣人由貢生

天啓

姚謨　舒城縣人由貢生

李春榮　滁州人由貢生

何居聖　廣東人由貢生

高養正　直隸雄縣人由貢生

李曰叢　山東人由貢生

崇禎

陳寵　安東縣人由貢生

張希仲　常熟縣人由貢生

邢之表　蕪湖縣人由貢生

陳廷策　儀真縣人由舉人

大清　江浦縣儒學教諭　訓導

順治　沈之蘭浙江烏程縣人由貢生　盧弘雋廣德州人由貢生

宋中鴻遼東海州人由貢生　董國憲北直眞定人由貢生

王之采贛榆縣人由貢生　江弘衷徽州府人由貢生

趙　淶江陰縣人由貢生　楊祚昌廣德州人由貢生

陳文龍巢縣人由貢生　賈遇時含山縣人由貢生

周　裳太倉州人由舉人　順治十四年奉

康熙　汪湛斯歙縣人由拔貢　裁康熙三年復設

康熙三年奉

裁十六年復設

楊珂常州府武進縣人由舉人　陳允晟秦州人由貢生

秦松華無錫縣人由貢生　王晋廬江縣人由貢生

| 明 | 六合縣知縣 | 縣丞 | 主簿 |
| --- | --- | --- | --- |
| 國初 | 胡有源 | | |
| 洪武 | 陸梅 四川中江縣人由貢生 | 端章甫 南直滁州人由薦舉陞知縣 | 李實 |
| | 李仲美 | 徐昭文 後裁革 | |
| | 歐陽得基 湖廣龍陽縣人由舉人 | | |
| 永樂 | 胡銘惠 | | 李貞 |
| | 王翺 | | |
| | 皮以貞 | | |

劉衡山東曹州人由舉人

黃裳山東臨清縣人由貢生

宣德　林至福建福清縣人由進士　王凱

史思古浙江象山縣人

正統　黃淵河南洧州縣人由貢生　宋秉夔

景泰　劉茂江西贛縣人由貢生　呂所

天順　李疇

成化

張恒　山東曹州人由舉人生

唐詔　山東陽信縣人由貢生陞府同知

周南　浙江縉雲縣人由進士陞御史歷右都御史

婁宏　廣西賓州人由舉人

楊澤　直隸河間府人由進士陞主事

王瑄

邢端

劉璡　四川蒼溪縣人由監生

弘治

安鑑 順天永清縣人由貢生

楊顯

謝湖 廣東海陽縣人由進士評事謫歷參政

劉恩 山西沁水縣人由監生

鄧績 江西泰和縣人由舉人

武通 山西陽曲縣人由監生

翁諫 浙江壽昌縣人由舉人

潘琰 山西壽縣人由監生後裁革

張諸 福建閩縣人由進士

趙崇賢 浙江太平縣人

陞南御史

茅寀 浙江山陰縣人由進士陞主事

周蘞 浙江鄞縣人由舉人歷員外郎

何廷陳 浙江富陽縣人由貢生

黎循典 湖廣華容縣人由舉人御史謫

邰漳 浙江餘姚縣人由進

士歷參議

董邦政　山東陽信縣人由貢生歷僉事

管嘉福　山東高密縣人由進士歷府同知

宋鑒　浙江烏程縣人由舉人陞知州

張熙　直隸清苑縣人由舉人陞教諭

鄒宗賢　浙江臨安縣人　由舉人

萬廷珵　江西安福縣人　由舉人　陞主事

陳越　廣東東莞縣人　由舉人

李楚　福建福清縣人　由舉人

林幹　福建懷安縣人　由舉人　歷府同知

嘉靖 金克厚 浙江僊居縣人由進士歷員外郎

何宏 廣東順德縣人由舉人降教授

周爔爔 福建閩縣人由舉人

史朝富 福建晋江縣人由進士歷知府

劉格 廣東從化縣人由舉

人調信豐

隆慶 章世禎 江西餘干縣人由舉人陞知州

董潤 山東濟寧州人由舉人

李箴 浙江臨海縣人由舉人陞南評事

萬曆 邵廷臣 福建福清縣人由舉人

俞應星 浙江新昌縣人

由舉人

陳汝霖　四川内江縣人

由舉人

陳載春　山東歷城縣人

由進士

毛裕燕　廣東博羅縣人

由舉人

黃夢鴻　廣東番禺縣人

由舉人

蕭時鳴　湖廣江夏縣人

由舉人

張必振 山東青城縣人
由舉人

劉文定 湖廣興國州人
由舉人

蕭象烈 江西廬陵縣人
由進士

米萬鍾 北京錦衣衛籍
陝西安化縣人
由進士

徐士俊 江西上饒縣人由進士

張啟宗 江西新喻縣人由舉人

楊彩鳳 湖廣內蘄縣人

馬政和 北直真定衛人由舉人

沈綰 浙江會稽縣人由舉人

天啟　董允升浙江慈谿縣人由進士

甄偉璧河南許州人由舉人

蔡如葵貴州人由選貢

謝命賞宣府前衛人由選貢

崇禎　喬國禎山西平陽府人由舉人

鄭同元廣東潮州府人

由進士

仲聞韶 浙江秀水縣人 由舉人

饒若蒙 江西進賢縣人 由舉人

來煥然 浙江蕭山縣人 由舉人

沈起蛟 浙江長興縣人 由舉人

大清 六合縣知縣　典史

| 年 | 知縣 | 典史 |
|---|---|---|
| 順治二年 | 曾淳化 江西金谿縣人 由舉人 | 連世龍 福建邵武府人 由吏員 |
| 三年 | 劉慶運 北直延慶州人 由選貢 | |
| 四年 | 婁維嵩 北直真定府人 由進士 | |
| 五年 | 陳事 遼東人 由貢生 | |
| 六年 | | 莫可成 浙江仁和縣人 由吏員 |
| 七年 | | |
| 八年 | | 楊春逵 陝西西安府人 由吏員 |
| 九年 | | |
| 十年 | 李大生 北直順天府人 由拔貢 | |

十一年

十二年

十三年 劉廣譽 蒲州人由正紅旗進士 紀文斗 陝西西安府人由吏員

十四年

十五年

十六年 羅紹虞 江西南昌府人由舉人

十七年 冀兆哲 山西大同府人由舉人 章文尚 浙江杭州府人由吏員

十八年

康熙元年 顧高嘉 浙江秀水縣人由進士

二年

| | |
|---|---|
| 三年 | |
| 四年 | |
| 五年 | |
| 六年 | |
| 七年 | |
| 八年 | |
| 九年 | |
| 十年 | 常在 山西澤州高平縣人由舉人 |
| 十一年 | |
| 十二年 | |

十三年
十四年
十五年
十六年　黄任　直隸大名府元城縣人由進士
張永祥　陝西西安府人由吏員
十七年　張應鰲　順天府人由吏員
十八年
十九年
二十年　洪煒　江西饒州府樂平縣人由進士
二十一年
二十二年

明 六合縣儒學教諭 訓導

永樂 許安 浙江錢塘縣人由舉人 蘇祥遂 浙江遂昌縣人由舉人

葉彬 福建建安縣人由貢生 陽汝賢 湖廣茶陵縣人由貢生

正統 魏瓚 浙江慈谿縣人由舉人 陳培

何瑄 江西人

景泰 張疇 浙江黄巖縣人由舉人 江朝立 四川銅梁縣人由舉人陞教諭

天順 杜璠 浙江人由舉人 季芳

謝俊

成化 木昱 浙江錢塘縣人由貢生陞教授 苟贇

瞿璞 鄭儀和 福建莆田縣人由貢生

周　瀰　江西貴溪縣人由舉人　易永恒　四川內江縣人由貢生
應　紀　浙江太平縣人由舉人補黟縣　曾　莊　江西泰和縣人由貢生
林　贇　福建龍溪縣人由貢生
吳　忠　江西鄱陽縣人由貢生
弘治　余友諒　江西德興縣人由貢生　高　福　江西安福縣人由貢生
張　敔　山東觀城縣人由舉人　金　魁　浙江太平縣人由貢生
周　仁　河南上蔡縣人由舉人　邊　鴻　山東濰縣人由貢生
王　亨　浙江仁和縣人由貢生
田　宣　浙江山陰縣人由貢生
正德　凌　本　湖廣襄陽府人由舉人　劉　紀　河南人由貢生

洪湖 福建龍溪縣人由貢生
王渠道

方錦 江西貴溪縣人
祝瑾 江西德興縣人由貢生陞教諭

陳洪表 湖廣武陵縣人由貢生陞教授
施豫 浙江開化縣人由貢生陞教諭

楊元永 浙江平陽縣人由貢生
蕭輅 山東德州人由貢生陞學正

王鎮 福建閩縣人由舉人歷員外郎
許琥 浙江永嘉縣人由貢生陞教授

張健 浙江上虞縣人由貢生陞教授
馬珂 浙江平湖縣人由貢生陞教諭

郭襄 福建莆田縣人由貢生
徐夢熊 浙江山陰縣人由貢生陞教諭

林澄 福建莆田縣人由舉人歷同知
何桂 湖廣沅江縣人由貢生陞教諭

劉蒸 江西吉水縣人由貢生
王聆 山東蒲臺縣人由貢生陞教授

徐演 福建邵武縣人由貢生陞教授
馮縉 廣東東莞縣人由貢生

姚　英　福建浦城縣人由舉人歷知州

涂本通　湖廣華容縣人由貢生

徐　丙　浙江長興縣人由舉人歷知縣

鄭仁慈　廣東潮陽縣人由貢生陞教諭

李　椿　浙江麗水縣人由舉人

湯　治　江西永興縣人由貢生陞教諭

帥子卓　江西奉新縣人由貢生

嘉靖

高繼耀　江西南昌府人由舉人歷推官

王　敏　浙江義烏縣人由貢生陞教授

顏　新　河南洧川縣人由貢生陞知縣

王　洛　浙江雲和縣人由貢生

牛　夏　順天寶坻縣人由貢生陞教授

王自新

焦仲實　陝西扶風縣人由貢生

王宗彜　四川達州人由貢生陞教諭

霍孝先　山東青城縣人由貢生陞學正

龍民勤江西泰和縣人由貢生陞教諭

隆慶

關塲直隸南宮縣人由貢生

張鎔成河南羅山縣人由貢生陞教授

吳邦浙江錢塘縣人由舉人陞推官

張鯨山東齊河縣人由貢生陞教諭

桑子美江西寧州人由貢生陞教授

盧文衢山東人由貢生

錢棠太倉州人由貢生

萬曆

黃九川浙江蕭山縣人由貢生

石如圭江西人由貢生

朱建侯浙江嘉興府人由貢生

華拱極雲南蒙化縣人由貢生

孔弘仕浙江平陽縣人由貢生

湯杞來安縣人由貢生

李素貴江西新淦縣人由貢生

慶有恒倉山縣人由貢生

方有德 江西貴溪縣人由進士　朱繼忠 宿州人由貢生

周　詩 崑山縣人由舉人　余元亨 江西奉新縣人由貢生

封汝才 沛縣人由貢生　金應秋 浙江嘉興府人由貢生

伊景禹 崑山縣人由舉人　楊　璜 浙江山陰縣人由貢生

吳道盛 宜興縣人由貢生　許其賢 當塗縣人由貢生

天啓

黃繼先 浙江淳安縣人由貢生　王三輔 湖廣蘄水縣人由貢生

趙仲陽 雲南楚雄府人由貢生　胡永欽 湖廣宜城縣人由貢生

陸　京 武進縣人由貢生　黎啓先 湖廣京山縣人由貢生

龔　洪 江西建昌縣人由貢生　商　雨 山東武城縣人由貢生

崇禎

李春榮 浙江嵊縣人由貢生　朱元復 華亭縣人由貢生

施所學　婺源縣人由舉人

耿維愼　山東沾化縣人

唐騰鳳　廣西全州人

汪士龍　黟縣人由舉人

張壎　浙江仁和縣人由舉人

王曰俞　常熟縣人由舉人

唐苒　含山縣人由貢生

王祉　四川峽江縣人由貢生

周之禎　歙縣人由貢生

張士寄　南陵縣人由貢生

蔡鼎臣　宿遷縣人由貢生

蕭衢亨　雲南宜良縣人由貢生

張守貞　當塗縣人由貢生

姚時倈　四川成都府人由貢生

張叔鏡　江西新塗縣人

帛文炤　懷寧縣人由貢生

方繼美　祁門縣人由貢生

張國政浙江山陰縣人由貢生

陳有蘊高郵州人由貢生

陶孔教懷遠縣人由貢生

葉　蘭盱眙縣人由貢生

任亞龍徐州人由貢生

任盡臣貴州印江縣人由貢生

馬菘劉大年李署皆未履任例不得書淮安志云孫益智爲六合諭益智實諭天台海州志可考

大清　六合縣儒學教諭　訓導

順治　朱綏江西進賢縣人由舉人　張幼良揚州府人由貢生

黃聖果常州府人由舉人　馮大德鳳陽府人由貢生

楊志遠丹陽縣人由舉人　張闇然亳州人由貢生

曹開顯無爲州人由舉人　盧士厚盧江縣人由貢生

康熙　何大鵾揚州府人由貢生　朱儒秀徐州蕭縣人由貢生

楊士弘安慶府人由貢生　梁汝悰山陽縣人由貢生

康熙三年奉

裁十六年復

郝煜太平府繁昌縣人由歲貢　潘士範鳳陽府懷遠縣人由歲貢

論曰昔者舜命九官咨十有二牧周官懸治象之法乃施典於邦國而建其牧牧者養也守令之名義昉此葢一方之政寄於長吏長吏能否庶務興廢係之長吏良殘兆姓生死懸之故曰吏者民之本綱者也郡縣大小雖殊而期於拊循子民則一焉說者謂吏數變易則下不安業久於其中則民服教化璽書褒勵增秩賜金循良所以多紀也嗚呼郡縣之不可爲封建人矣必若所云則樹侯世土尤愈於久任也豈不悖哉竊謂古今吏治不一大約愼重簡擢精詳黜陟則在位勸興非必成法可拘也我

朝建牧考績覈職尤嚴大法小廉稱極盛焉斯郡翊贊
之職職率以數人分理官惟其備夫亦惟其賢也問
有裁復變通因時處宜而事治而民安而最報焉豈
不法良而治美也哉嗚呼蒞土膺秩代有其人其爲
遺愛勿能諼也况於親承膏雨者乎

# 江寧府志卷之十七

## 宦蹟

民之戴吏若地然吏之臨民若植然地之膏脂日上而植之嘉莠不齊下泉所以歎也若其被我野者芃芃翼翼溥厥降康則雖成功者去而以似以續之恩深于艮耜矣故吏而澤于民者秩無尊卑時無先後其愛戴如一轍焉志宦蹟

漢李忠字仲都黄縣人建武六年爲丹陽太守是時海內新定海濱江淮多擁兵據土忠到郡招懷降附其不服者悉誅之旬月皆平爲起學校習禮容春秋鄉飲選用明經郡中向慕之墾田增多三歲流民占著者五萬餘口三公奏課爲天下第一遷豫章太守

晉王導字茂弘其先臨沂人光祿大夫覽之孫也元帝爲瑯琊王與導素相親善導知天下已亂遂傾心推奉會帝出鎭下邳請導爲安東司馬軍謀密策知無不爲及從鎭建康吳人未附導患之適從兄敦來朝導謂之曰瑯琊王仁德雖厚而名論猶輕兄宜有以匡濟會上巳觀禊帝乘肩輿具威儀敦導及諸名勝皆騎從紀瞻賀循顧榮皆江南之望竊覘之乃相率拜於道左導勸引之以結人心乃躬造循榮二人皆應命而至由是吳會風靡百姓歸心焉導勸收其賢俊與之圖事時荆揚晏安戶口殷實導爲政務在清靜每勸帝克已勵節尤見委仗號爲仲父甞從容謂導曰卿吾之蕭何也晉國既建以導爲丞相軍諮祭酒桓彝初過江見朝廷微弱謂周顗曰我以中州多故來此欲求全活寡弱如此將何以濟往見導極談世事還謂顗曰向見管夷吾無復憂矣過江人士每至暇日相要出新亭飲宴顗中坐而歎曰風景不殊舉目有江山之異皆相視流涕惟導愀然變色曰當共戮力王室尅復神州何至作楚囚相對泣邪衆收淚而謝之時軍旅方殷學校廢缺導勸立學以端風化帝納之敦之反也舉兵內向時寢疾導便率

子弟發哀衆聞謂敦死咸有奮志敦平進封始興郡公明帝崩復與庾亮等同受遺詔共輔幼主是爲成帝庾亮將徵蘇峻訪之於導導曰峻猜險必不奉詔且山藪藏疾宜包容之固爭不從旣而難作六軍敗績導入宮侍衛峻以導德望不敢加害猶使以本官居已之右峻又逼乘輿幸石頭導潛奉帝出奔義軍不果及事平宗廟宮室並爲灰燼朝議遷都導曰建康古之金陵舊爲帝里古之帝王不以豐儉移都苟弘衛文大帛之冠則無往不可若不績其麻則樂土爲墟矣宜鎭以靜群情自安導簡素寡欲倉無儲穀衣不重帛帝知之給布萬疋以供私費卒時年六十四成帝舉哀於朝堂喪事賵襚之禮一依漢博陸侯及安平獻王故事自導渡江子孫遂家建業衣冠人物一時爲盛

溫嶠字太眞祁縣人王敦欲謀逆深忌嶠請爲左司馬嶠恐見害繆爲綜其府事以昵於敦會丹陽尹缺因說敦表補丹陽尹嶠得還都具奏敦逆謀請先爲之備及敦搆逆加嶠中壘將軍持節都督東安北部諸軍事敦表誅姦臣以嶠爲首王含錢鳳奄至都下嶠燒朱雀橋以挫其鋒賊果不得渡嶠自率衆

與賊夾水戰擊王含敗之復督劉遐追錢鳳
於江寧事平封建寧縣開國公進號前將軍

**謝安**字安石鯤從子少有時名朝命敦逼皆不就人
爲語曰安石不起當如蒼生何年四十餘始應
大司馬溫命爲司馬溫深重之尋除吳興太守徵拜
侍中遷吏部尚書中護軍簡文崩溫入赴山陵止新
亭大陳兵衛延見朝士或言將害王謝遂移晉室坦
之甚懼見溫流汗沾衣倒執手板安從容就席坐定
謂溫曰安聞諸侯有道守在四鄰明公何須壁後置
人耶溫笑曰正自不能不爾遂笑語移日時孝武帝
富於春秋政不自已溫威震內外人情噂喈互生同
異安與坦之盡忠匡翼終能輯穆及溫病篤諷朝廷
加九錫使袁宏具草安見輒改之由是歷旬不就會
溫薨錫命遂寢尋爲尚書僕射詔總關中軍事疆敵
冠境邊書續至安每鎮以和靖人情賴安符堅率衆
號百萬次于淮淝京師震恐加安征討大都督元入
問計安怡然無懼色答曰已別有旨既而寂然元不
敢復言乃令張元重請安遂命駕出山墅親朋畢集
方與元圍棊賭別墅安棊常劣于元是日元懼便爲
敵手而又不勝安遂游涉至夜乃還指授將帥各當

其任元等旣破堅有驛書至安方對客圍棋看書竟便攝放牀上了無喜色棋如故客問之徐答云小兒輩遂已破賊旣罷還內過戶限不覺屐齒折其矯情鎭物如此常疑劉牢之不可獨任又知王裕之不宜專城後皆如其言識者服其知人時會稽王道子專權安出鎭廣陵築新城而居之安雖受朝寄然東山之志始末不渝每形於言色及鎭新城盡室而行造汎海之裝欲須經畧粗定自海道還東雅志未就遇疾篤還都卒年六十六贈太傅謚曰文靖安避亂渡江遂家建業其後衣冠人物與王導等時稱江左王謝

褚翜字謀遠陽翟人蘇峻之亂京邑焚蕩人物凋殘乃以翜爲丹陽尹翜收集散亡甚有惠政遷都之議始寢

劉惔字眞長相縣人永和中遷丹陽尹爲政淸整門無雜賓時百姓頗有訟官長者惔歎曰居下訕上此弊道也悉寢不問性簡貴有人倫鑑每奇桓溫才而知其有不臣之志嘗薦吳郡張憑卒爲美士疾

篤百姓爲之祈禱年三十六卒于官孫綽爲之誄云居官無官官之事處事無事事之心人以爲知言

**庾龢**字道季鄢陵人亮之子升平中代孔嚴爲丹陽尹表除重役六十餘事民賴之遷中領軍

**羊曼**字祖延南城人少知名蘇峻作亂加前將軍丹陽尹率文武守雲龍門王師不振或勸曼避峻曼曰朝廷破敗吾安所求生勒衆不動爲峻所害

**劉穆之**字道和莒縣人從劉裕起義事平遂受心膂之寄時晉綱寬弛威禁不行盛族豪行小民窮蹙重以司馬元顯政令違舛桓元科條繁密穆之斟處時宜隨方矯正不盈旬日風俗頓改領堂邑太守義熙八年加丹陽尹裕擊劉毅以諸葛長民監留府總攝後事裕疑長民難獨任留穆之輔之加建威將軍裕擊司馬休之中軍將軍道憐知留府而事無大小一決穆之遷尚書右僕射尹如故十二年裕北伐留世子爲中軍將軍監太尉留府轉穆之左僕射仍爲尹入居東城穆之内總朝政外供軍旅决斷如流事無壅滯賓客輻輳求訴百端内外諮禀盈堦滿案目覽辭訟手答牋書耳行聽受口竝酬應不相參

涉皆悉贍舉又數容接賓客言談賞笑未嘗倦苦裁有閑暇手自寫書尋覽篇章校定墳籍十三年卒于官

南北朝徐羨之 東海郯人劉穆之卒宋高祖命爲丹陽尹羨之起自布衣以志力局度居廊廟朝野推服遷尚書仝揚州刺史

謝方明 陽夏人宋永初中尹丹陽善治郡所至有能聲代前人不易其政必宜改者則以漸移變使無迹可尋

蕭摹之 南蘭陵人宋元嘉時爲丹陽尹上言佛入中國已歷四代形像塔寺所在千數材竹銅綵糜損無極無關神祇有累人事請自今欲鑄銅像及造塔寺皆得列言須報乃得爲之文帝從其請

何尚之 字彥德灊縣人宋元嘉中爲丹陽尹立宅南郭外置元學聚生徒更海徐秀廬江何曇黃回潁川荀子華太原孫宗昌王延秀魯郡孔惠宣並慕道來遊謂之南學

**羊元保**南城人宋元嘉中累官丹陽丞轉尹廉靜寡欲頻授名郡爲政雖無幹績而去後常見思不營財利處家儉薄

**劉秀之**字道寶莒人宋元嘉十六年除建康令性纖密善糾擿隱微吏民不敢欺以幹理著稱大明二年遷丹陽尹時宮禁市百姓物不時給値市道嗟怨秀之以爲非宜陳之甚切廣陵王誕爲逆秀之入守東城遷尚書右僕射

**袁粲**初名愍孫江夏人宋明帝時領丹陽尹粲負才氣愛好虛遠雖位任隆重不以事務經懷家居負郭每策杖逍遙當其意得悠然忘返郡內一家頗有竹石粲率爾步往不通主人直造竹所嘯咏自得主人出笑語款洽俄而車騎羽儀至門方知是袁尹齊高帝命粲義不事二姓謀舉兵被害

**徐陵**郯縣人仕梁爲安右將軍丹陽尹性清簡祿俸與親族共之家至乏絶

**王冲**臨沂人起家梁秘書郎侯景平授中權將軍丹陽尹習於德令政尚平理雖無赫赫之譽久而

見思

杜稜字雄盛錢塘人事陳武帝於京口梁紹泰中爲丹陽尹武帝即位任遇益重武帝殂時內無嫡嗣外有疆敵侯瑱安都徐度等並在軍中唯稜在建康獨典禁兵乃與蔡景歷等祕不發喪奉迎文帝天嘉元年以預建立功改封永城郡侯尹如故

袁樞字踐言江夏人也家世顯貴而樞獨居處率素陳天嘉中領丹陽尹在官清愼門無雜交而性復周密每有舉薦多會文帝意外人無知者

唐盧祖尚樂安人武德中爲蔣州刺史甚有能名遷壽州都督

顏眞卿字清臣曲阜人肅宗時爲昇州刺史清嚴正直風采凛然人不敢干以私時劉展有異謀眞卿慮侵軼江南乃選將訓卒緝戎器爲水陸備都統使李峘以爲生事密奏之詔徵爲刑部侍郎及展舉兵渡淮峘敗没議者始多眞卿而咎峘

徐知誥字正倫徐州人也天祐十四年爲昇州刺史
時江淮初定州縣吏多武人務賦斂爲戰守
知誥獨好學接禮儒者能自勵
爲勤儉以寛仁爲政民望歸之

宋楊克讓字慶孫馮翊人開寶八年平江南命克讓知
昇州時初定之後克讓每視事自旦至暮決
斷如流無有疑滯當官以
清幹稱加兵部員外郎

賈黄中南皮人太平興國二年知昇州爲政簡易部
内甚治一日密行府署中見一室扃鑰甚固
啟視之得金寶數十櫃直數百萬乃李氏宮闈中遺
物也即表上之太宗謂侍臣曰非黄中廉恪則亡國
之寶將枉法而害人矣賜錢三十萬
視事五年名歸關累官參知政事

馬亮字叔明合肥人景德初自潭州徙知昇州事屬
歲旱民饑湖湘漕米數十舟適至亮移文守將
發以賑民因奏瀕江諸郡務求民瘼舊俗失意相讐
往往乘風縱火亮發覺誅惡少數人亮四守是郡有
智畧敏於政事官至
太子少保謚忠肅

**張詠**字復之鄄城人有治才眞宗朝以禮部侍郎知昇州城中多火詠廉得不逞之人僭肆播爇者斬之由是遂絶三年春州民以詠秩滿願借留即授工部尚書令再任仍賜詔褒獎殿直范延貴過金陵詠問沿途好官延貴以萍鄉宰張希顔對詠曰何以知之對曰自入縣境橋道完田野闢市無賭博更鼓分明以是知其必善政也詠大笑曰希顔固善矣天使亦好官也即日同薦於朝皆號能吏詠剛方自任爲治尚嚴樂爲奇節眞宗嘗稱其材任將師以疾不盡其用云

**薛映**字景陽家於蜀進士及第初通判昇州累遷樞密直學士知州事映學藝吏術俱優章奏尺牘下筆立成爲治嚴明吏不能欺每五皷冠帶黎明據案決事雖寒暑無異時官以牛賦民出租牛死租不得蠲映上章言之眞宗矍然曰朝廷豈知此邪因令諸州條奏悉蠲之後官至集賢院學士

**薛顔**字彥回萬泉人眞宗天禧二年改昇州爲江寧府顔知江寧府事有邏者晝劫人反執平人以告顔視其色動曰若眞盜也械之果引伏轉右諫議大夫歷光祿卿

王隨字子正河南人天聖初自潤州徙知江寧府隨外若方嚴以寬爲治練習民事皆能用其所長歲大飢時轉運使移府發常平倉米計口日給隨不聽曰民飢由兼并閉糴以邀高價也乃大出官粟私價遂平在郡二年後官至同中書門下平章事

李若谷字子淵豐縣人明道間加集賢院學士知江寧府事在郡多惠政吏民懷之有卒挽舟過境若谷憐其寒瘠留養視之須春溫遣去民匄於道者以分隸諸僧寺助給舂爨未朞名還上言乾元節每年進銀絹各一千伏緣當府不產銀以是配買累歲災傷人民貧困已將省庫紬絹二千匹上進候豐稔仍買銀進始詔銀依市價不得損民史稱若谷性資端重治民多智慮愷悌愛人去後益見思終參知政事

張奎字仲野臨濮人慶曆八年江寧府治火諫官言金陵始封之地守臣視火不謹宜擇才臣繕治之遷右諫議大夫知府事奎簡村料工一循舊制不踰時完鋤姦植良恩刑並施江表稱治

**張方平** 字安道南京人皇祐初知江寧府慷慨有氣節當官亮直未嘗以詞色假人在府二年入判流内銓拜叅知政事

**李宥** 知江寧府民有告人殺其子者曰吾子去家時巾若巾今巾是矣人自誣服宥疑名問卒申其枉

**劉湜** 字子正彭城人皇祐四年江寧飢擢知府事湜奏運蘇州米五十萬斛以貸飢民

**包拯** 字希仁合肥人嘉祐初知江寧府性峭直惡吏苛刻務敦厚雖甚嫉惡而未嘗不推以忠恕與人不苟合不爲辭色悅人平居無私書故人親黨皆絶之雖貴衣服器用飲食如布衣時

**王琪** 字君玉華陽人嘉祐間知江寧府先是府多火災或託以鬼神人不敢救琪名令廂邏具爲作賞捕法未幾得姦人誅之大患遂息

**梅摯** 字公儀新繁人初令上元嘉祐三年知江寧府摯性淳靜不爲矯厲之行政迹如其爲人尋徙

河
中
馮京字當世江夏人嘉祐五年知江寧府講縣公事至即歷究之不以付獄報下捷疾一無壅滯人服其敏明年以翰林學士召還累官樞密院
呂溱字濟叔揚州人治平間知江寧府精識過人辨訟立斷豪右斂跡一時名輩皆推許云
傅堯俞字欽之項城人熙寧中知諫院遇事輙言五年改知江寧人以爲法令未安者必多更改堯俞到郡一遵條約日君子素其位而行諫官有言責郡知守法而已司馬光以淸直勇稱之
陸佃字農師山陰人元祐七年知江寧府人有盜嫂害其兄者誣三人爲同謀者抵罪一囚父稱冤通判以下皆讞獄已成不可變佃爲閱實三人是得釋由是人服其明
曾肇字子開南豐人元祐間知江寧府肇儒者有吏才文學法理咸精能在郡多善政紹聖元年改知瀛州

蔣靜字叔明宜興人崇寧五年知江寧府抗直不畏强禦茅山道士劉混康以技進賜號先生其徒爲姦利奪民葦塲強市廬舍詞訟至府吏觀望不敢治靜悉抵於法人皆稱快

沈錫字子昭揚子人大觀三年以徽猷閣待制知江寧府張懷素誅朝廷疑其黨有脫者由是怨家多誣告郡獄爲滿錫至案其妄者罪之疏於朝他郡繫者皆得釋歷知海泰汝宣四州以通議大夫致仕

李彌遜字似之建炎二年江寧牙校周德叛執帥宇文粹中殺官吏嬰城自守勢猖獗彌遜以江東運判領郡事单騎扣賊壘以蠟書射城中招降賊通欵開關迎之彌遜諭以禍福勉使勤王時李綱行次建康共謀誅首惡五十人撫其餘黨一郡帖然

呂頤浩齊州人建炎三年始改江寧府爲建康頤浩以江東安撫制置使兼知府事時苗傅劉正彥爲逆逼高宗避位改元詔至江寧頤浩曰是必有變即遣人寓書張浚浚亦謂頤浩有威望能斷大事書來約會兵討賊時江寧士民洶懼頤浩乃檄楊惟忠留屯以安人心且恐傅等挾帝繇廣德渡江先爲

控扼備遂以兵發江寧舉鞭誓衆士皆感厲將至平江張浚乘輕舟逆之相持而泣咨以大計頤浩曰事不諧不過赤族爲社稷死豈不快乎浚壯其言卽舟中草檄進韓世忠爲前軍張俊翼之劉光世爲遊擊頤浩浚總中軍光世分軍殿後頤浩發平江傳等恐懼乃請高宗復辟師次秀州頤浩勵諸將曰今雖反正而賊猶握兵居内事若不濟必反以惡名加我翟義徐敬業可監也次臨平傅等拒戰頤浩被甲立水次出入行陣督世忠等破賊傅正彦引兵遁頤浩等以勤王兵入城都人夾道聳觀以手加額朱勝非罷相以頤浩守尚書右僕射中書侍郎兼御營使政同中書門下平章事紹興八年高宗將還臨安除少傅兼知建康行宮留守頤浩引疾求去除醴泉觀使贈大師封秦國公謚忠穆

**權邦彥** 建炎中知建康府劇盜張琪殘虐徽州邦彥遣裨將討平之爲政以治辨見稱

**葉夢得** 字少蘊吳縣人紹興初爲江東安撫大使兼知建康府時建康荒殘兵不滿三千夢得奏移統制官韓世淸軍屯建康崖增屯采石閭阜分守要害遣張偉招諭王才降之以其衆分隸諸軍濠壽

叛將寇宏陳卞陽受朝命陰與劉豫通夢得諭以禍福皆聽命及豫入寇卞擊敗之僞齊兵遁八年除江東安撫制置大使兼知建康行宫留守奏防江措畫八事一申飭邊備二分布地方三把截要害四約束舟船五團練鄉社六朝審斤堠七措置積聚八責官吏死守又言建康太平池州緊要臨戶江北可濟渡去處共一十九願聚集民兵把截要害命諸將審度敵形併力進討金兵進逼歷陽張浚諸軍遷延未發夢得見浚請速出軍曰敵已過含山萬一金人得和州長江不可保矣浚趣諸軍進發聲勢大振金兵退屯昭關明年金復入寇遂至拓臯夢得團結沿江民兵數萬分據江津遣子模將千人守馬家渡金兵不得渡而去初建康屯兵歲費錢八百萬緡米八十萬斛榷貨務所入不足以支至是禁旅與諸道兵咸集夢得兼總四路漕計以給饋餉軍用不乏故諸將得悉力以戰詔加觀文殿學士

**趙鼎**字元鎮聞喜人紹興二年代李光知建康府事時孟庾韓世忠皆駐軍府中名招安彊寇鼎素有剛正之風庾世忠加禮敬兩軍肅然民既安堵商旅通行高宗嘗謂王庶曰鼎鎮撫建康回鑾無患他

人所不及也

未幾移洪州

**張浚**字德遠綿竹人紹興六年命浚渡江徧撫淮上諸戍浚入覲力請幸建康三十一年春金騎克斥王權兵潰劉錡退歸鎮江遂改命浚判建康府兼行宮留守浚至岳陽買舟冒風雪而行遇東來者云敵方焚采石煙燄漲天愼無輕進浚曰吾赴君父之急知直前求乘輿所在而已乘小舟徑進過池陽聞亮死餘衆猶二萬屯和州李顯忠兵在沙上浚往犒之一軍見浚以爲從天而下浚至建康即辦行宮儀物請乘輿亟臨幸高宗幸建康浚迎拜道左風采隱然軍民皆倚以爲重高宗將還臨安勞浚曰卿在此朕無北顧憂矣節制鎭江江州池州江陰軍馬金兵十萬圍海州浚命將往救大破之招集忠義及募淮楚壯勇以陳敏爲統制且謂敵長於騎我長於步衛步莫如弩衛弩莫如車命敏專制弩治車孝宗即位召浚入見除少傅進封魏國公尋召浚子栻赴行在浚附奏請上臨幸建康以動中原之心隆興中加尚書右僕射同中書門下平章事兼樞密使都督如故累贈太師謚忠獻

**陳俊卿**字應求興化人紹興八年登進士遷中書舍人時孝宗志在興復方以閫外事屬張浚浚以俊卿忠義沈靜有謀克江淮宣撫判官兼權建康府事奏曰吳璘孤軍深入敵悉衆拒戰久不决危道也兩淮事勢已急盍分遣舟師直擣山東彼必還師自救而璘得乘勝定關中我及其未至潰其腹心此不世之功也會主和議甚堅詔璘班師亦召俊卿隆興初建都督府於建康俊卿除禮部侍郎參贊軍事張浚謀大舉北伐俊卿以爲未可已而邵宏淵兵果潰俊卿退保揚州主和議者幸其敗橫議搖之俊卿從坐貶兩秩知建康府逾年歷觀文殿大學士累章告歸淳熙五年復除特進起判建康府兼江東安撫俊卿去建康十五年父老喜其再來爲政寬簡罷橫征時御前多行白劄用左右私人持送俊卿奏非便孝宗手札獎諭除少保判建康如故八上章告老以少師魏國公致仕贈太保謚正獻

**洪遵**字景嚴鄱陽人乾道七年以端明殿學士權知建康府令民苗米正額外不輸耗聽自持斛量庾人不能爲奸時虞允文當國有北征志先調侍衛馬軍出屯其在府者五軍謀築營砦無慮萬竈遵徧

行刼野求訾地無妨民廬舍冢墓區畫既定始興役
營卒醉妄言搖衆斬之三軍無敢譁有晝入旗亭挺
刀推壚者械付獄驛上奏未下統帥懼得譴請自治
之孝宗怒罷統帥遵亦坐貶未幾五營成復原官仍
拜資政
殿學士

**李植**臨安人乾道初知建康府兼本路安撫使上書
極言防江十策皆直事宜不涉浮泛孝宗奇之

**張燾**字子公德興人初以忤秦檜罷歸十三年檜死
起知建康建康積歲負內庫錢帛鉅萬悉爲奏
免致仕復知建康金人窺江南
民驚徙過半聞燾至人情稍安

**劉珙**字共父崇安人淳熙二年知建康會歲祲首奏
蠲夏稅糧六十萬緡秋苗米十六萬六千斛禁
止上流稅米過糴得商米三百萬斛貸樁管及總司
錢遣官糴米上江得米四萬九千斛籍主客戶高下
給米有差又運米村落置場平價賑糶舊貸無取償
起是年九月至明年四月闔境數十萬人無一捐瘠
流徙者進觀文殿學士屬疾請致仕珙精明果斷喜
受盡言事有小失下吏言之立改臨鎮民愛之若父

母聞訃罷市巷哭相與祠之

**張杓**知建康府遇事不凝滯多隨宜變通以治稱

**徐誼**知建康府兼江淮制置使時金人攻廬楚不下淮人流江南在建康者以數十萬計誼晝夜撫循益嚴備禦地方賴之

**葉適**字正則永嘉人開禧間詔諸將四路出師適告侂冑宜先防江不聽未幾諸軍皆敗乃除適知建康兼沿江制置使適請于朝乞節制江北諸州及金兵大入一日有二騎舉旗若將渡者淮民倉皇建康震動適謂人心一搖不可復制惟劫砦南人所長乃募市井傑少并帳下願行者得三百人使采石將徐緯統以往夜過半遇金人蔽茅葦中射之應弦而倒矢盡揮刀以前金人皆錯愕不進黎明知我軍寡來追則已在舟中矣復命石跋定山之人劫敵營得其俘馘以歸金解和州圍退屯瓜步城中始安又遣石斌賢渡宣化夏侯成等分道而往所向皆捷金自滁州遁去時羽檄旁午而適治事如平時軍需皆從

官給民以不擾兩淮民渡江者給錢米其來如歸兵退進寶文閣待制兼江淮制置使措置屯田遂上堡塲之議初淮民被兵驚散日不自保適歲於墟落數十里內依山水險要爲堡塲使復業以守春夏散耕秋冬入堡凡四十七處又度沿江地創三大堡石跋則屏蔽采石定山則屏蔽靖安瓜步則屏蔽東陽下蜀西護溧陽東連儀眞緩急應援首尾聯絡東西三百里南北三四十里每堡以二千家爲率教之習射無事則戍以五百人一將有警則增募新兵及抽摘諸州禁軍二千人并堡塲內居民通爲四千五百人共相守戍而制司於每歲防秋別募死士千人以爲劫砦焚糧之用三堡旣成流民漸歸尋奪職奉祠後官寶文閣學士通議大夫

黃度字文叔新昌人嘉定初知建康府兼江淮制置使至金陵罷科糴輸送之擾活饑民百萬口除見稅二十餘萬擊降盜卞整斬胡海首以獻招歸業者九萬家俾曹常募雄淮軍已收刺者十餘萬人別屯數千人未有所屬度憂其爲患人給錢四萬復其役遣之還寶謨閣直學士加朝議大夫累疏乞休不

許除禮
部尚書

馬光祖字華父金華人寶祐三年以寶章閣直學士知建康府始至官即以常例公用器皿錢二十萬緡支犒軍民減租稅養孤寡招兵置砦給錢助諸軍婚嫁屬縣稅折收絲綿絹帛倚閣除免以數萬計興學校理賢才辟召僚屬皆極一時之選拜端明殿學士知江陵府去而建康之民思之不已開慶元年復命以資政學士再知建康士女相慶光祖益思寛養民力興廢起壞知無不爲蠲除前政逋負錢百餘萬緡魚利稅課悉罷減予民修建明道南軒書院及上元縣學樽節費用建平糴倉貯米十五萬石又爲庫貯糴本二百餘萬緡發糴常減于市價以利小民脩飭武備防拓要害邊賴以安其爲政寛猛適宜事存大體公田法行光祖移書賈似道言公田法非便乞不以及江東必欲行之罷光祖乃可進大學士兼淮西總領召赴行在遷提領戶部財用兼知臨安又以沿江制置江東安撫使知建康郡民爲建祠六乞致仕不許歷叅知政事知樞密院致仕謚莊敏光祖練兵豐財三至建康終始一紀威惠竝行百廢修

舉逮今遺愛
猶在民心

**趙善湘** 紹定初知建康府刱防江軍寧淮軍及平叛
寇皆有功遷江淮安撫制置使

**吳淵** 爲江東安撫使兼知建康府興利除害究心軍
民列上二十五事詔下奇之弟潛大府卿兼沿
淮制置知建康府論保蜀之方護襄
之策防江之筭備海之宜甚有條理

**董槐** 定遠人淳祐間知建康府時軍政弛弗治乃爲
賞三等以教射歲餘盡爲精兵

**姚希得** 字逢原潼川人開慶中知建康希得按行江
上慰勞士卒衆皆歡說溧陽饑發廩賑濟全
活者衆刱寧江軍自建康太平至池州列砦置屋二
萬餘間屯戍七千餘人理宗聞之一再降詔獎諭加
寶章閣
學士

**胡旦** 字周父渤海人爲昇州通判時江南初平汰李
氏時所度僧十減六七旦曰彼無田廬可歸將
聚而爲盜悉黥
爲兵遷左拾遺

**蘇易簡**太平興國中通判昇州淸約如寒素太宗召爲知制誥問曰卿舟惟載佐石瘤木器可見淸節

**呂蒙正**字聖功河南人太平興國中通判昇州陛辭有旨民事不便者許騎置以聞賜錢二十萬代還歷官參知政事

**段少連**字希逸開封人天聖中張士遜守江寧辟通判府事少連通敏有才遇事無大小決遣如流不爲權勢所屈遷爲御史臺推直官

**滕宗諒**字子京河南人通判江寧府宗諒尚氣節倜儻自任好施與卒家無餘財所蒞州喜建學學者傾江淮間

**沈遘**字文通錢塘人通判江寧府遘以文學致身而長于治才歸奏本治論仁宗曰近獻文者率以詩書豈若此十篇之書爲可用也除集賢校理歷龍圖閣直學士

元絳字厚之錢塘人明道初調江寧推官時江淮旱災官發廩米爲糜以哺流民絳躬自給視饑病者數萬皆得以濟攝上元令民有號王豹子者豪占人田畧男女爲僕妾有欲告者則殺以滅口絳捕寘于法有妻告夫爲人所殺訊之實不殺絳教其妻曰歸治而夫喪陰使信謹吏跡其後望一僧迎笑切切私語絳命取僧縶廡下詰妻姦狀卽吐實人問其故絳曰吾見妻哭不哀且與傷者共席而襦無血汚是以知之安撫使范仲淹表其材除秘書省著作佐郎知永新縣累官參知政事

李及字幼幾范陽人調昇州觀察推官資質倩介所治簡嚴喜薦下吏而樂道人之善寇準薦其才擢大理寺丞

元岳天禎冠氏人大德十年爲建康路總管値歲饑官廩中無儲粟乃諭富戶出鈔二萬錠賑濟饑民賴以全活者甚衆時米價騰湧牙儈旁緣爲奸天禎杖其尤桀黠者召商旅飲之酒以義諭之估値乃平郡中立碑紀遺愛至大二年卒于官

明楊元杲 滁人洪武初扈蹕渡江以行省員外郎陞應天府知府練達政體智慮周密爲時所稱

鄭沂 不知何許人明初爲監察御史洪武三年沂上言京師爲天下根本四方之所瞻仰今南京知府與在外知府同甚失内外之統宜改爲京尹上從之四年遂以沂爲府尹六年致仕

顧佐 太康人永樂十八年以陝西按察副使陞應天尹公廉有威重當官嚴毅風采凛然一時勳貴豪猾皆爲斂手時方之包孝肅歷左都御史滿滌積弊黜陟賢不肖百僚憚之時稱爲顧獨坐

薛均 湖廣蘄水人永樂中授應天府尹廉明持正買地種蔬旦暮荷鋤往耘日飽菜茹文皇密使人廉之得其狀笑曰人皆行樂惟朕與均苦耳然庭無廢事應天先是租不時納當事者皆以罪去均到官閱月輒完報頃之乞歸

鄺埜 字孟質宜章人宣德十年以陝西副使陞應天尹以養民爲務凡市征田稅皆酌其平豪猾不得爲輕重公私便之正統初進兵部左侍郎

**魯崇志**字懋功天台人由進士成化十年爲應天尹
先是七邑民阻饑逋賦數萬石崇志勸貸以
輸而賑其貧者溧水有奸民武斷于鄉爲人所患有
司莫敢誰何崇志擒治之中貴人王敬怙勢以鹽二
萬引懇齎規重利崇志厲色拒之愷弟詳雅一介不
苟取予怨有不讐而德無不報尤加意青衿令儒學
儒星三門猶
其創建云

**于冕**字景瞻錢塘人忠肅公謙之子景泰初以父功
廕府軍千戸謙死坐謫龍門成化初謙事白加
贈予謚因復冕官請改文資授武庫員外郎歷陞應
天府尹聰明特達好學崇禮興利鋤奸一以仁愛爲
心雖權家難而聲
問不瞶人皆稱之

**樊瑩**常山人弘治五年爲應天尹時百姓殷富民知
自愛鮮犯法瑩亦坦直不立威嚴與民言若家
人民
懷之

**吳雄**仁和人弘治十四年爲應天尹風局嚴整以肅
淸爲任時大璫守晉臺者恃勢多所侵擾縣官

不敢遺雄一切裁之以法勢少沮嘗曰任怨吾不辭但不至瘠吾百姓耳後亦不能害云

**王震** 字威遠邢臺人弘治癸丑進士授戶部主事歷陞河南左布政十六年陞應天府尹奏罷上元江寧花園夫千餘人省諸官寺獄具銀千餘兩聚江灘芦葦千餘頃以佐赤縣里甲費尋書上乞骸骨歸

**王爌** 字存約黃巖人弘治壬戌進士嘉靖初爲應天尹應天賦徭繁重富人多投內監神帛堂以避而積累貧者爌奏革織匠銅竹匠守庫薪夫等八百餘人裁齊庶人之供億節中使之浮餼籍記縣司丁錢使諸司不得恣取冗費爲之一清他如議罷京邑種馬議發內帑絲織神帛議內府局監不當索用紅站船隻議輕荒稅蘇流亡議料田出賦均貧富疏數十上皆切時病每一奏下民歡呼若更生與胥吏語未嘗有怒色而受錢事覺即案治如法又以其間振諸生異等者躬課之郡齋自是多掇巍科皆爌教也有京兆遺愛錄傳于金陵

**柴奇** 字德美崑山人正德辛未進士以南京光祿少卿陞應天府丞值尹闕攝篆五月巡撫陳祥薦

之陛府尹淸查官占埋沒地還之民間以絕權勢起佃之謀積科試羨餘開拓貢院規模爲之一新

**孫懋**字德夫浙江慈谿人正德辛未進士爲南吏科給事中値武宗南幸懋與參贊喬公宇悉心調護時宸濠艦泊龍江與逆黨錢寧江彬等日導上夜遊將伺便竊發懋伏行宫請廻鑾疏數十上指斥彬罪尤切會彬生日或邀懋同賀懋厲聲曰吾不能置彬死而乃賀其生耶彬甚銜之然亦以此不敢動嘉靖間任府尹下車以鋤強暴抑兼并爲務內府上納及織造浸廣頗爲民累乃力爲裁省舖戶供應貽害頗甚疏輕其役他如驛遞夫船倉塲歲計及民壯工匠在官者冐濫甚多悉爲淸革懋嚴明有體若節自持閱三十年如一日以老乞歸卒贈副都御史賜祭葬

**劉自強**河南人操持嚴峻人不敢干以私嘉靖中爲應天尹値歲旱自強撤蓋步禱涕泣告神甘雨如注民賴更生甲子試士自強置火爐于堂凡有私扎即引火焚之南太宰某以薦書納官封中遣吏持往自強曰彼此衙門不相干涉何文移爲揮去之吏固請啓封自強怒自起擊之其公嚴如此

**汪宗伊**字子衡湖廣崇陽人嘉靖戊戌進士歷應天府尹宗伊仁心爲質視民如傷而吏事精敏綜覈無遺條畫上江二縣徭賦歲省萬餘金著爲額先是城居坊民本無土田里甲凋敝代供諸司破產相屬其後改爲僱役立碑二縣歲徵二千金于庫官收吏支而諸司沓至縣不能給復取之坊民溢額强半宗伊毅然裁減二縣歲徵九百金責報循環并里甲賦役具疏上聞報可于是濫差不及坊民以紓遷大理卿進戶部尚書卒

**方良曙**字子賓歙人由進士授工部主事歷轉應天府尹釐剔井井甫及兩月有希江陵旨者劾以老令致仕良曙聞之曰吾意也即日巾車返里中

**徐申**字維嶽一字文江吳縣人萬曆丁丑進士授海陽令召入爲御史三按畿省歷陞應天尹值御府傳造龍旂帘屏諸供具費以鉅萬計賦額外無所措手申上疏極諫不得請乃增置錢局鼓鑄借餘貲供之起運外得贏金六千有奇以抵諸費而民不擾上江兩邑坊廂久爲民厲申條奏革之歲省光祿九

庫及宴會修造不經諸費六千餘金省科場供應千餘金增號舍三百而民不知役又奏減丁銀嚴緝詐冒禁止鋪行勒諸石爲永惠礦稅與朋塌沓擾申力爲調停以代征歸有司且裁其額商始不罷肆而三課更有餘移以給河工糴倉穀省編戸又六千餘金大風拔近畿民家木姦人誣其坎爲盗礦攘臂趨之斧鑿侵及山麓申白民寃宣言此陵脉所自來誰敢奸之乃歛手退八縣馬場山入爲民業有奸弁塌諸璫請貿價上納申昌言正拒之得報罷帑藏錢糧出入故稱難核申立指掌冊躬自會稽綱目井井隱冐那移一切無所中嘗語人曰府藏故不絀吾一核之而上供數千金立辦在心計何如耳數延見鄉先達寃問民所疾苦與利害與革所宜故能周知而復善應如此晉通政使請告歸

**黄承元** 字與參浙江秀水人萬曆丙戌進士洊歷藩臬幾二十年授應天府尹下車之始首咨民瘼亟議興革考嘉靖甲子舊例請增科舉至三十餘人入學至二十餘人又蠲府帑增號舍二百間使士無遂號轎號之苦凡科場一切供億悉出帑金平値貿易不以累民所給諸生茗餌羮餚之屬無不精好

以至油燭石研皆官為辦之貧生得沾實惠往年遇科場官之徵發民之將輸上下營營幾無寧日承元在事都城寂若無聲而事皆克辦時已拜撫閩之命為停驂以終事為尹僅踰年而德聲風行士民至今思之不忘云有生祠在貢院之左

**姚思仁** 字羅浮浙江秀水人萬曆癸未進士為應天府尹剛毅清正風裁凜然人畏而愛所治有罷黨害民巡視御史不能治思仁盡行訪捕有立斃者有配遣者遍榜通衢遠邇稱快衙蠹曹懷馬同等私立保家名色凡府縣拘提人犯擅行收禁非刑索詐思仁知之收曹懷等寘于法立羈候所以收輕犯民免其毒己未歲蝗蟲為災無以納糧思仁下令捕之每蝗若干準糧如數貧民不能自存者設法賑給全活甚衆民間有唐朝宰相明大京兆二姚媲美民生再造之謠晉工部尚書加宮保年九十餘

**徐必達** 字元仗浙江秀水人萬曆壬辰進士天啓初歷官應天府尹值大婚選淑女于江南中使御命必達裁諸賄賂食饗所撙節減舊額十之五歲鄉試庀館垣飭廚傳悉心經畫不煩里甲往例八縣

京邊餉糧先解府庫稱兌輕重由庫官吏辨驗成色由銀匠叢弊非一必達創爲各縣印官與解官親相交兌之法其歲支各項應入庫者聽解役當堂自兌發出即用原封庫吏無所上下其手府試童生卷皆自備必達特官備以惠孤貧而置溧陽溧水學田以廣樂育諸凡糴穀備賑平糶救荒清勘合以蘇驛困革商稅以通貿易實心實政周悉詳明

**談自省** 字季曾鎮江丹徒人萬曆甲辰進士爲應天尹孜孜去家蠹遏謝絕私交革弊釐奸興舉百務如甦銅商之困寬絲稅之征雪雲間諸生詿誤之寃清奸胥積年侵欺之蠹商民共戴以首抗逆祠爲魏璫所忌授意御史劉弘光劾之乃清愼無過無可摭拾以其與原任吏部主事程公國祥姻婭指爲邪黨削奪回籍輿論惜之

**劉之鳳** 字岐陽河南中牟人萬曆癸丑進士崇禎初爲應天尹清廉謹愼日用淡薄與寒儒等交際餽遺悉行屏絕治百姓極寬而御下極嚴積胥見之無不股慄棘闈舊有夾牆凡入試以軍士守之之

鳳于鎭闈後撤去防軍自行巡察見墻外監鳥金紙小燈籠者四密以四小木標其處而令人按所在窮詰之得王假官丁澄等四人皆積棍包攬傳遞者也題參盡法夾墻之弊永絕

劉餘祐字玉孺順天人萬曆丙辰進士餘祐性豪爽不矜細節而藻鑑洞然所拔士皆名流留心民事勸課耕農值歲祲積穀救荒全活數萬人命諸荒政皆餘祐經始而後人踵行增益之民受其賜歷官兵部尚書

王公亮直隸華亭人洪武初以能書舉任吏科給事中歷應天府治中念草昧之初民心未定乃封剔煩苛壹意綏輯以卓異聞遷府丞益自淬厲舉所諳民情吏治斟酌施行之人大說服

寇天叙字涂水山西榆次人正德戊辰進士授南大理評事歷寧波知府政績卓異超歷應天府丞時武廟南幸供億浩煩府尹朔公感勞成疾天叙與大司馬喬公宇同心協力處之有方上親觀迎春于南郊天叙治具郊外俯伏廊下諸嬖幸欲以遲慢劾之憚其勁直而止時江彬寵冠一時百司往賀生

辰行四拜禮天叙獨長揖彬卿之日償其私無所得天叙每日小帽一繖坐堂上自供應朝廷外毫不妄費彬有所需遣人來天叙語之曰南京倉庫久虛百姓窮苦無可措辦府丞所以微服待罪專候拏問耳彬知不可動乃曰寇公眞君子也于是他嬖幸亦皆歛迹駕回衆欲厚賂諸幸臣天叙終不從獨送駕至淮安中外皆服其才力大軍旣歸天叙一意民事與學均賦休息地方嘉靖初査舉七事如神帛堂匠十庫花園進解船隻等項冗役冗費一旦裁革上下稱快甲申歲大饑人相食天叙竭力賑濟設粥廠以食流民尋瘟疫大作給藥以救親行巡視夜以繼日不以爲嫌又嘗奏折兌運糧以蘇民困皆獲允行天叙在應天三載初値車駕駐臨九月後値荒歉二年竭力致身不避艱險士民倚爲保障官至兵部左侍郎

**楊璨**字仲玉松江華亭人嘉靖中爲應天府丞時府尹陳公錫屢疾在告璨數署篆節財賦平物價都人稱便焉故事仇家多假手獄卒甘心繫囚璨時巡獄中令凡囚有病非累藥不効勿狀全活甚衆江寧丞王震已陞他縣貪酷事覺囑者旁午璨曰彼邑之民何罪焉竟坐以法溧陽民彭鶴齡嘗忤母舅舅

誣爲盜詞服贓少璨究其情曰鶴齡貌非甚貧何利于此訊得誣狀立出之其懲奸釋冤類如此

**衞一鳳**字伯瑞潞州人由進士萬曆中歷任應天府丞舉車臨任所携二三童僕自奉寒儉嚬笑不苟錢穀出入一覽洞然歷晉南大司馬請告歸

**李覺斯**字曉湘廣東東莞人萬曆癸丑進士崇禎初爲應天府丞與大京兆詹公士龍立公館于城東會諸鄉約修明六諭進民間之秀而教之一時佻達之習頓改

**徐石麒**字寶摩嘉善人天啓壬戌進士除工部營繕司主事管節愼庫忤權璫奪職崇禎初補原官歷陞應天府丞淸理學校士風丕變時南都有絲商馬戸兩大差繇李僉報大戸以亢一經僉役家業立破石麒憫之仿古僱役法令歲納銀若干以資貼備衆皆稱便更有餘資江浦通江支河約三十里年久淤塞秋冬水涸商販往來必從陸運所費加倍石麒以前餘資僱夫挑濬直通大河行人利之稱爲徐公河云入爲刑部尚書以救諫臣姜埰熊開元罷歸

**錢士貴**字元冲松江人由進士崇禎中爲應天丞時歲屢不登士貴勸諭積穀力行賑濟貧民得以更生有不能納贖久繫獄中者士貴捐金代納俾入不能繼至變里中產以足之囹圄爲之幾空

**張瑋**字席之一字二無萬曆已未進士崇禎庚辰任應天丞時南畿大旱公私交詘流冗萃處米價至石三兩有奇瑋悉心賑濟于城內外立粥塲十餘所俾饑民隨遠近就食所活數十萬人辛巳又饑瑋踵行不倦冬則作絮衣以給寒凍爲茇舍以庇流移分遣醫士設藥房數所以治疫疾時多棄小兒于道瑋令民間收養飯以官粟經理荒政精悉無遺仍以餘力興學造士開觀社與諸生講學課藝人文一振性廉甚食惟齏糲歷副都御史士民持瓣香擁送者十餘里不絶尋卒于官謚清惠

**金蘭**字楚畹紹興人天啓乙丑進士歷應天府丞崇禎辛巳壬午間旱疫並作蘭力行荒政與魏國徐弘基及部寺諸公捐俸捐貲設廠開賑仍那措金錢糴米江楚相續賑濟諸如慈幼局冬生房給藥施櫬一切善政皆踵張公瑋之後而加詳焉大司農上其事從優紀敘蘭初以監察御史督學南畿憐才

愛士出自至誠虛公詳愼不執成見有初閱置後列而覆閱之取寘多士者有初閱被黜而採訪宿名取卷覆閱亟還故物者于試卷後刋云竊國名器以媢私交已干國憲違天休命而淹寒士必有天殃益其秉志如此又善形家言造三台閣于句容之西郊以爲當出大元榜發楊公瓊芳果中會試第一人

**龐嵩**字振卿居南海弼唐鄉學者稱爲弼唐先生嘉靖甲辰由鄉舉授應天府通判晉治中先後八年大京兆缺屢攝府事初至歲大旱嵩督賑委悉實惠霑洽公粟旣竭貸之鄉先生富民誠意懇惻人多應者全活六萬七千有奇已而蠲其積逋拊循勞來復業者十萬六千有奇部民苦役重嵩議寛之量令甲首輸鏹免其置辦付之印簿以防侵漁淸寄居客戶以助夫役移僻驛馬匹以甦衝塗覈冒濫優免及詭稱官戶女戶匠戶寄莊戶以實丁口八邑皆蒙惠焉時江寧葛仙永豐二鄉數有水患居民餘七戶而已歲課莫辨嵩爲築堤闢萊得田三千六百畝立惠民莊名貧民佃之流移盡還而全邑無代輸之苦百姓至今賴之折獄無細大必得其情戚畹王湧舉人彭若龍占良人妻殺人居間者萬方嵩拒不聽竝論

死早遊王陽明湛甘泉兩先生之門至是建會規于
新泉書院日與諸生講習一時文行之士咸就爲多
嵩天性嚴明見義勇爲單騎行縣所至肅然一疏片
楮不以擾民人目爲龐青天云

李棠字英振福建平和人初令粵長寧倅浙衢有惠
政萬曆壬子擢判京兆轉江防治中嘗攝理刑
及兩縣事於訟獄多所平反辨雪王廷珂陳德等寃
獄民稱爲神明溧水漕卒糧戶交鬨幾起變棠奉檄
往按片言立解勘平高淳相國圩水利至今賴之學
田租爲奸佃冒占查核還之社學十六所歲久湮廢
力復之乙卯科場大京兆黃公憫舖戶賠累之苦盡
行裁革悉出官辦棠實襄之諸若督鑄製監理賦給
餉皆清白無所染丙辰夏蝗冬饑棠
巡行捕禱歲事無眚以勞瘁卒于官

趙其昌順天永平人由舉人崇禎十六年爲應天治
中時江防廢弛其昌按汛稽察修墩臺製械
器營伍一新每收放兵餉按季支散羨餘卽以易錢
逐名分給毫無染指兵士戴之流寇北犯南都震恐
其昌以廉能受委修城
隍詰奸宄地方賴之

**林春** 字孟陽萬全衞人天順中以鄉貢授應天府馬政通判清操自勵攻駒考牧恪盡乃心公平不苛民受其惠每行縣較閱止食公廩一毫不取于民蒔蔬公廨以自給其清廉如此

**郎文煥** 字徽愚浙江烏程人由選貢歷任應天府判素著文名兼優政績大京兆姚公思仁甚器重之每有疑事必與商榷居官廉正凡鞫批詞不輕罰贖鍰以媚上官愛重學校每委校觀風精心批閱拔識英俊多售去登清要者爲水衡司主事在黌不染陞雲南知府

**陳聯璧** 字珽菴湖廣應山人由廩授應天府通判辛巳壬午歲大祲民飢相食時鄰境遏糶大京兆以璧廉而有才委任湖廣糴米分設五廠平價以賣復爲蘆蓬以居就食流民輕省刑罰減徵騶從鼓舞富戶輸粟相濟故連歲凶荒民賴全活後遷刑部主政歷官河南憲副

**佘若楠** 河南人由鄉薦萬曆中授應天府推官加意學校生童月有課藝爲政剛柔互劑清正不私直指按臨詞訟浩煩若楠奉委鞫勘十行俱下左右手皆能書或兩手並用批決如流嘗委署溧陽時

南北需用甚急若楠星馳至縣比戶勸諭紳民感動立輸萬七千金南北皆有所濟縣民刁悍詞多詐若楠集衆于庭勸令息爭止訟民服其化有余青天之稱陞戶部主事進道泣送者千餘人

**劉大川**字印浦北直易州人由舉人任應天推官父斯濘官南大宗伯生七子皆以門廕仕至二千石大川獨立志讀書登鄉薦居官愛民如子好士下賢不事鞭朴請託盡謝同官敬而畏之

**彭期生**浙江人萬曆丙辰進士歷任藩臬崇禎中謫授應天府推官不攜家室僕從自隨而已既至官屬邑例供薪米却不受題壁云家鄉有荻水移向任所來誰能不飲食竊恐是民財其清介如此遇事明了毫無停滯每聽訟必于法外行仁不妄入一罪不輕用一刑而人自凛凛不敢犯有地棍沙四者一充當江寧驛驛馬戶爲直指所訪斷贓定罪矣顧四去而驛遞廢弛累鄉民二十四家朋當旣而并及一鄉四鎮賠擾無安枕期生訪知其故出四于獄諭之曰汝能改過復起此驛吾宥汝四聞言感激期生捐金予之責令修整數日之內得馬四十匹供應不匱請于直指盡釋其贓罪四亦感恩改行卒爲善人大京

兆鈇期生署篆遴正嘉以來先達李公應禎沈公越等十人送入鄉賢以志景行後擢兵部職方每夜私行詰奸宄嚴扃鑰以忤權貴乞休

金九陛字允訥滁州全椒人中萬曆乙卯鄉試崇禎戊辰會副筮仕棗陽時多寇警九陛練鄉勇設守備創竹弩藥箭擊賊于鹿頭店傷其賊首解圍而去承天顯陵賴以無驚郎撫盧象昇疏其功陞南光祿大官署正擢南戸曹司浦子口倉未幾寇犯金斗浦六切膚九陛多方守禦棗之兵畧器械再試于此寇不敢逼大司馬上其功詔加俸一年至今勒功碑巋然山巓也司榷杭之北新關商賈德之爲建祠名曰清惠歷本部郎中擢蒼梧兵備副使會勦賊于鳳凰山口殲厥渠魁餘氛盡散再調上荊南復嘗寧城定祁陽變撫劉荒保等賊靖燕子窩等處會三省合勦八排猺峝會推南贛巡撫辭不拜引疾乞休甲申十一月終于金陵歸葬于椒

國朝馬國柱號擎宇遼東瀋陽人順治初總督江南江西河南三省駐節江寧時　國運肇興公

以重臣式臨內固輿情外消反側威信著于遠邇未幾遂平六安之梢聚定西江之餘孽擒冶山之妖寇殲其渠魁獎用才俊一時江海山陬傾心懷附雖軍興旁午民不知兵更以東南財賦之區制宜豫定乃條爲九則畫一永遵時方安插旗兵公畫大中橋爲界萬家安堵其間釐關榷以來商旅清郵驛以利往來僉運丁以免傍噬甦奸蠹以全善良大綱小目粲然畢舉于是薦拔遺賢聿修文治即故南雍遺址建立江寧府學明倫講藝多士蔚興時偶荒歉公則設法平糶立廠賑濟躬禱甘霖活飢民二百餘萬其爲治不競不絿寬厚清嚴深達大體所以造此南邦爲

國家永奠屏翰者寔公開先之力云治定回　京壽終于位江南感慕不忘獅子橋及上新河皆有專祠奉祀康熙十一年公請崇祀名宦子斯良見任福建布政使有鐵面

馬青天之譽

**馬鳴佩**號潤甫遼陽人順治甲午自宣大總督晉大司馬來督江南江西二省初至問民所疾苦薄賦省傜除貪止訟民用蘇息時天下承平惟崇明餘孽猶擁殘兵窺伺公按士籍選將吏築墩堡絕其

鄉導解其黨與遂大破賊衆恢復平陽沙等處渠盜面縛赴軍門降者相繼自此人得安堵欣欣樂生公不矜不伐惟以博大寬弘培養兩江元氣治南甫兩載抗辭解組終于京師南人感德不諼請祀名宦

于成龍字北溟號于山山西永寧州人以已卯副榜準貢初授廣西羅城令舉卓異陞四川合州守兩任皆撫殘起瘵備歷艱危遷湖廣黄州郡丞緝平羣盜嚴惠並著又舉卓異陞福建建寧府知府題留武昌府知府時三逆煽動山賊乘隙嘯聚數十萬撫軍以才畧特請補黄州府知府公单騎入賊巢諭以順逆賊悉投戈歸降又擒斬何士榮等東山遂平坐陞下江防道廷推福建按察使司賁平閩逆康親王特加崇獎稱爲海内第一清官陞本省布政使司庚申特簡授直隸巡撫清操勵屬廉頑起儒于是深受上知賚錫榮寵皆異常格又御製詩一章賜之康熙二十一年奉命總督江南江西等處駐節江寧未入境百司皆望風斂節公槩加勸誨期以洗心自靖由是一時吏治廉肅民困頓甦其自處儉約甚于寒素惟奉

御書淸愼勤三字於堂兢兢體之未嘗少違也江寧羣小多託旗丁爲盜竊奸宄萬狀公特嚴保甲法俾奸人無所容得其魁惡輒杖斃之餘悉逆逃一時郡邑里井肅然無虞又闢書院育才俊加意敎養兩省之人無不顯承其德而陰食其福爲政二年綱舉目張百度即序甲子夏感疾卒于任士民哀思焚香聚哭者日以千數司府諸屬入署爲治後事見其惟餘朝服常衣數襲陶木敝器數事篋無一金羣爲長慟益公盛德性生而淸操特著論者稱爲海忠介公後一人不虛也歲乙丑闔屬奉其主祀名宦祠子廷翼貢生候選敎諭廷勷州學生廷元州庠生皆殖學力行克世其家

劉漢祚號盤所遼東金州人由拔貢任河間知府陞寧武道順治五年任江南左布政使其時民多逋欠公力革火耗廢科派俾得早完正供至通省起存細數洞悉曉暢不俟按冊而知故治賦之才于

興朝爲最加以正己率屬禁私謁除豪蠹値歲之歉捐俸賑濟餔飢衣寒全活無算在任八年陞福建巡撫捐去之日士民扳轅泣送感慕不衰共立去思碑于石城門外子六長光裕岳陽知縣次光榮寧國知府次

光耀淮安府同知次光顯八品官次光美由貢
池知縣行取授湖廣道監察御史次光前監生

**馮如京**號秋水山西代州人由選貢保舉順治十一年任江南右布政使司鼓鑄革耗恤工泉流罔滯兼理滿兵芻糗及監造神帛官誥黃絹一意精核盡摘出納濫徵諸弊猾胥不得高下其手暇日加意人文集多士開文會十二年冬應　詔疏崇理學謹兵權寔京倉愼邊守四事朝論韙之陞廣東左布政使請養歸康熙五年丁母艱哀毀感疾以九年二月卒訃聞遣官　諭祭所著有春秋大成聖賢正諦道學錄史疑詩錄及秋水集江寧人思之不忘二十二年公請崇祀名宦子雲驤乙未進士督學四川雲驌癸丑進士翰林院檢討主江南辛酉鄉試

**藍潤**字海重號皀渚原名滋山東卽墨人登順治丙戌進士選庶常擢編修巳丑會試同考會元左敬祖出其門
世祖章皇帝嘉其廉介特　賜名潤晉侍讀督學江南嚴禁請託苞苴不行雖督撫公移屛絕不一寓目江左自酉戌來習尚波靡公遵傳註黜軋茁力爲釐正文

風丕變甲午南闈獲售者皆其特拔士冰心鐵面至今猶想見之遷福建糧憲再任江南臬司多所平反晉廣東左藩解任卒于家

**周亮工**字元亮先世自金陵徙撫州之櫟下其大父復徙江寧又徙大梁惟居櫟下最久故人稱櫟下先生由進士筮有司宦轍所經自三齊八閩以至江淮數歷卿貳遷轉不常所至有政聲以治閩功擢右副都御史晉戶部右侍郎尋亦以閩故累危殆者數後獄漸解且錄守閩功出爲青州海防僉事轉江南督糧道下車清察積弊大不利于奸吏旗弁訐怨相搆解組閉門不以升沉介意性好學自束髮受書以至仕宦戎馬繁劇患難之時手未嘗釋卷且好士汲引後進凡能詩文詞曲印篆書畫通一藝以上者無不折節下之數十年如一日所著賴古堂詩文集及選錄雜著十數種皆行于世

**李來泰**字仲章江西臨川人中順治壬辰進士授工部主政考選江南上元督學道公少博極羣書以文章自任其涖學于南也加意振舉所錄士多名通夙學文格淵古浩邈根柢理學一破從來局促

之習故歷試諸藝奇正互陳如金石相宣務絕滛響
而其列前茅者率取高第爲聞人江南人屈指從來
督學作人之盛必首推公當世傳其詩文道其名字
炳如也繼轉蘇常督糧道任滿轉蘇常分守道未幾
奉裁家居者久之康熙十九年舉博學宏辭授
翰林院侍讀辛酉典試楚闈復 命卒于官

**解幾貞** 字蘭石陝西韓城人登順治壬辰進士以戶
部督江寧倉儲及關務裕國恵商著有成績
癸丑分較禮闈甲寅點江南督學振拔寒畯登進名
流其淸操凜然爲從來最乙卯科試甫畢以疾卒輿
情悼
之

**王功成** 字允大山東茌平人登順治己丑進士授長
治令辛卯分較晉闈元出其門 欽取授兵
部主政歷掌車駕武選辛丑督學陝西杜請謁却暮
夜制府白公亟稱之任滿家居六載補江南驛鹽道
所轄全省連歲飢荒額設旣缺又南北孔道多例外
徵索公以一身搘拄其間不激不隨惟民是恤檄署
臬篆平反三十餘獄又以其間課士論文梓江南人
文大觀一書中式三十餘人凡所賞拔皆知名士會

陞安徽按察使未受事力請歸養謝絶人事專志奉
母與弟均產其孝友性植生平如一日也丁內艱哀
痛不勝未
踰年亦卒

李正茂字生周順天人順治二年爲應天府尹改江
寧知府時百務草創一無成規可守正茂創
設各署修建利涉上方石城等橋竭力經營不辭勞
費瘡痍初定人心惶惶正茂一意撫循保全善類革
減重刑不肯輕定一死獄每存心施政必質之神明
無敢以意爲喜怒多所利濟校士秉公在任數年士
民至今
思之

陳龍巖號轉菴福建惠安人由戊子拔貢任貴州石
阡府推官歷思州府同知思南知府以內艱
歸康熙十八年起復補江寧知府益礪淸節好以儒
術治郡履任値歲歉飢民載道爲捐俸勸募設廠給
粥全活甚多閩婦經亂被俘者倡衆贖歸之奉憲刱
育嬰堂盡心規畫爲設田以垂永久每朔望祇謁
文廟無間風雨又修兩廡及門並縣庠尊經閣補刻廿
一史諸書之缺葺通濟門城及重造石城橋規模倍

舊興人頌之凡所興造皆多方措置一不煩民常攝
諸司邑篆並著善績制府于公新政方行甚爲倚重
旣而以勞致疾猶宿廟禱雨及晴皆立應未閱月卒
公爲人持正妖人朱方旦之來江寧也邪燄方熾公
獨毅然不爲之惑檄使出境未幾而方旦敗公父荆
碧公明末官南御史有惠政及公涖江寧乃因衆思
祀之名宦南
人稱而榮之

**于成龍**字振甲奉天遼陽人也以廕授樂亭知縣陞
通州知州廉能爲天下最康熙二十一年題
授江寧知府先是通爲巨州地近京師八旗田土星
羅碁置士傲狠而橫肆民悍猾而健訟椎埋胠篋舞
文蔑度者依倚爲奸不可枚舉公操躬廉介一以法
繩之風俗爲之一變神君之譽洽于遠邇直撫于公
北溟知公最深及總督江南江西特疏題授江寧知
府公甫下車卽釐革弊政禁絕苞苴知江寧風俗華
靡富者踰閑貧者效尤亟示之以節儉減燕賚屏優
倡浹旬布令皆身爲表率諸政務有不便於民者次
第裁正奸吏猾胥無敢上下其手又于其間修學宮
以隆聖教勤考課以育人才收嬰兒以廣好生贖難

婦以完骨肉建營舍以屯官軍壬戌秋旱步禱朝天
宮三武一拜手膝爲胝甘霖立降明年春水復請免
八邑之租制府于公以清廉卒於官無以爲殮公經
紀其喪委悉周詳見者感泣甲子冬
天子南巡重公廉能特賜
御書一軸獎諭優渥及
乘輿至京師復召公父光祿大夫阿達哈哈番加三級
得水面賜白金文綺以爲教子清廉之報旋晉公安
徽按察司按察使未踰月復有督理下河海口之
命君臣相遇之隆蓋前古所未有云

**趙廷臣**字君鄰順治初以明經授陝西縣令陞江寧
江防同知仁厚明敏吏不能欺兼司運務漕
撫沈公欲以黃快船丁僉運公不可乞依舊冊運丁
歸運黃快丁歸黃快船荷允　題請永著爲令又優
恤士子凡列名庠序者復其父兄子弟槩不僉運奉
委攝江寧縣篆見積弊種種精心查核悉行釐正照
糧納丁給發印票吏無從肆其奸江南有趙青天之
稱時金王二逆反南昌督撫檄公率師由鄱湖水路
進攻直抵城下賊遂大困授首更招撫里巷餘寇降
之奏凱而歸值內院洪公經畧滇黔知公才借軍前

贊畫督理糧糗士馬皆飽騰而民不知苦舉卓異晉
僉都巡撫貴州未幾即加兵侍總督雲貴進攻馬乃
身先士卒生擒叛首晉尚書雲貴用兵之後米貴如
珠公開荒地六十頃皆成沃壤再進太子少保以海
逆亂移浙江復兼閩督勦撫並用恩威兼濟清弊除
奸愛民如子以積勞卒于官士民思之如喪考妣子
延祺延組哀痛具奏　賜諭祭葬䘏蔭謚清獻
延祺延組皆補部屬敦尚儒行孫建中有文名

曹璽字完璧宋樞密武惠王裔也及王父寶宦瀋陽
遂家焉父振彥從入關仕至浙江鹽法道著惠
政公承其家學讀書洞徹古今負經濟才兼藝能射
必貫札補侍衛之秩隨王師征山右建績
世祖章皇帝拔入　內廷二等侍衛管鑾儀事陞內工部
康熙二年　特簡督理江寧織造江寧局務重大黼
黻朝祭之章出焉視蘇杭特為繁劇往例收絲則憑
行儈顏料則取鋪戶至工匠缺則僉送在城機戶有
幇貼之累衆奸叢巧莫可端倪公大為釐剔買絲必
于所出地平價以市應用物料官自和買市無追胥
列肆案堵剏立備養幼匠法訓練程作遇缺即遴以
補不僉民戶而又朝夕循拊稍食上下有經賞賚以

府故工樂且奮天府之供不戒而辦歲比祲公捐俸
以賑倡導協濟全活無算郡人立生祠碑頌焉丁巳
戊午兩督運　陛見
天子面訪江南吏治樂其詳剴
賜御宴蟒服加正一品更
賜御書匾額手卷甲子六月又督運瀕行以積勞感疾
卒于署寢遺誡惟訓諸子圖報　國恩毫不及私江
寧人士思公不忘公請各臺崇祀名宦是年冬
天子東巡抵江寧特遣致祭又奉
旨以長子寅仍協理江寧織造事務以纘公緒寅敦敏
淵博工詩古文詞仲子宣官廕生殖學具異才人謂
盛德昌後自公益驗云

**陳定**字以御少通經史負偉畧入督幕署崇明水師
遊擊順治己亥海寇鄭成功水陸十餘萬直犯
石城制府郎公檄定赴援定至率精銳出擊大獲全
勝再戰遂破走之賊歸犯崇明定星馳又敗之于城
下遂入保大小數十戰賊連敗遁去追至七丫口擒
斬無算以功特授拜他喇布勒哈番仍襲二次賜蟒
服冠帶等物有差以疾謝歸卒年五十贈中憲大夫
子岳康熙癸卯武舉人襲職選都司僉書次子岱康

熙庚戌武進士任京口
鎮海將軍後營守備

上元

**晉王雅** 字茂遠東海郯人少知名晉孝武時累遷左衛將軍丹陽令丕著政聲性好接下敬愼奉公孝武深加禮遇雖在外職侍見甚數朝廷大事多參謀議帝每置酒宴集雅未至不先舉觴其見重如此

**南北朝江秉之** 字元叔考城人宋主義符即位出爲永世令以善政著名徵建康令爲治嚴察京邑肅然

**顧憲之** 字士思吳人宋元徽中爲建康令時有盜牛者被主認盜者亦稱己牛前後令莫能決憲之至覆其狀乃令解牛任其所之牛逕還主宅盜始伏辜發姦擿伏多如此類時號神明至于權要請託長吏貪殘據法直繩無所阿縱性淸儉彊力爲政甚得民和故時飲酒者得醇旨輒號爲顧建康言淸且美焉

**鮑照** 字明遠以詩名嘗爲秣陵令

**陸徽**　字休猷吳郡人以尚書都官郎出補建康令淸平無私爲太祖所喜遷司徒左西曹掾後爲始興太守

**劉秀之**　字道寶東莞莒人少孤貧有志操元嘉十六年遷建康令除尚書中兵郎重除建康令性纖密善糾擿微隱爲政有聲

**劉元明**　齊時爲建康令淸儉絕人日惟食蔬素性不喜飲酒嘗曰大禹聖人猶絕旨酒況吾人乎

**沈瑀**　武康人善吏事嘗役民勞而無怨開湖熟縣方山埭赤水塘所費減材官所量數十萬吏政爲天下第一

**王沉**　齊秣陵令淸廉戒愼身居榮祿而家處貧乏以儒飭吏民有犯法者剖析淸詳不刑而服

**何遠**　字義方剡縣人梁武初平建康以遠爲令性淸介秋毫無所受妻子饑寒如赤貧者民祠祀之

**樂法才**　字元備淯陽人幼有美名遊建康造沈約約見而稱之梁天監中爲建康令不受俸秩比

去任將至百金縣曹敬輸臺庫武帝嘉其清節曰居職若斯可以爲百城表矣

褚永字仲賓陽翟人少孤貧篤志好學有才思仕齊爲溧陽令在縣清白公俸之外一無所資梁天監中復令建康強項不畏權要吏民稱之

江革字休映考城人幼聰敏有才思梁天監中建安王偉尹丹陽以革爲記室除建康正頻遷秣陵建康令爲治明肅豪疆憚之

劉沼魏昌人博學善屬文梁時爲秣陵令有善政及卒民思之不忘

孔奐字體文山陰人梁元帝時補揚州治中從事及齊軍至後湖四方擁隔粮運不繼三軍取給唯在建康乃除奐爲眞威將軍建康令時累歲兵荒戶口流散勍敵忽至徵求無所陳霸先刻日決戰奐乃令多營麥飯以荷葉包之一宿之間得數萬包軍人宿飽遂大破敵後累宰大郡皆以清廉稱

孫廉建康令傳翽爲吳令問曰聞丈人發奸擿伏惠化如神何以致此答曰無他也惟勤而清清則

憲綱自行勤則事無
不理其爲政如此

司馬申字季和溫縣人梁邵陵王綸尹丹陽以爲主
簿屬太清之難父母俱没遂終身蔬食陳大
建九年除秣陵令在職以清
能見紀有白雀巢於縣庭

蕭引字叔休蘭陵人陳後主時建康多盜乃以引爲
令民懷附之宦官李善度蔡脫兒等多所請屬
引一切不許族子密時爲黄門郎諫曰李蔡之勢在
位皆畏憚之亦宜少爲身計引曰吾立身自有本末
安能爲李蔡改行就令不平不過解職耳竟坐
免

唐卜吉光啓中爲上元令安和不擾公餘之暇輒閉戸
讀書而政事亦辦在職數年民懷思之

宋吳嗣復仁宗時知上元縣在任勤敏守廉
百姓愛之明道初爲舘閣校勘

方楷景祐初釋褐歷三任以考課遷尉衛寺丞知上
元縣嘗親獲群盜不干賞曰吾縣令爲天子舉
職耳功何有哉乾道中曾孫滋以敷文閣
待制居守金陵後五世孫叔恭復試是邑

李闓之紹興三十二年知上元開明疆敏才任有餘首言金陵鍾山慈仁三鄉實鄰大江田疇化爲水面乞除虚掛二税從之時金人南侵帝勞軍江壖百司庶府幬帟餼廩之屬無一不備以辨理聞特蒙名見且奏章剴切深中時弊

趙時僑嘉定十五年知上元律已以嚴臨民以公不嚴而威令行不擾而催科辨撫字之暇百廢皆飭

曹之格淳祐十二年知上元留心政術奸蠹秋毫必察豪猾斂迹昧旦即起坐廳事校治簿書有訟者立與剖斷獄無繫囚境内頌其平

鍾蜚英景定元年知上元創建學宇均民賦税馬光祖姚希得皆重之明年惟政鄉麥秀兩岐蜚英上其瑞理宗勑奬之

元田賢尹上元留心民事夙夜弗怠庶務咸得其理訟獄既清風俗以安敏惠廉明著於一時

**明陳奐**字聚奎慈谿人永樂中知扶溝有善政擢督府都事以赤縣煩劇須幹理吏乃改上元奐被知遇自奮厲期月縣中大治有婦與外遇而殺其夫者將殯矣奐於喪所擒婦詰問得實誅之人以爲神

**姜德政**江山人明達曉吏事景泰中知上元撫循惇偪勸課農桑諸所不便於民者皆爲釐革有古良吏風又以農隙修縣治重建明道祠人不知役

**王定安**大興人成化中知上元平易爲理人思之

**馬艮**陝西人成化中爲上元丞量宏才敏節用愛人出於眞誠處事果決有難爲者必以身先之至巳之利害不計也由是有名擢本縣令

**程鏳**字文純南城人嘉靖間知上元廉幹有治材時供億頗繁公私困弊鏳加意節省損浮費十之五六屢決疑獄毀淫祠爲社學自縣治達句容塗中雨輒沒壓行者病焉鏳以贖金修治之其善政爲諸邑最考滿之日囊止俸金七兩自騎一驢二蒼頭隨之糧長許翺等持八十金候鏳于大鄉驛進之鏳笑

曰好良民恐父母餓死耶持歸訓子
孫讀書可也取其馬鞭鞭驢而去

袁鑑字廣昭廣東揭陽人嘉靖二十八年由鄉貢授
上元令居官守廉儉愛民如子日食惟蔬菜妻
子衣垢敝之服囊無餘資審賦役
均平無私吏民皆愛之不忍欺

房韞玉字以輝山西靈右人鄉貢嘉靖三十八年任
上元時坊廂積弊年久而上官多取辦於中
有司憚於更張民不堪命韞玉不避譏嫌力申諸司
爲之節省民得蘇息生員趙善繼耆民陸辛等率衆
建惠澤
祠祀之

林大淵字朝介福建莆田人鄉貢萬曆元年授上元
令爲人聰明仁恕傳書積案一覽無餘吏胥
卽大猾者亦莫能窺其意指臨事聽斷如神革去坊
廂長攺編丁銀省浮費什之七八民感其德立生祠
祀之

賈應龍號盤菴河南祥符人以乙榜轉陞上元令厚
重端慤和藹慈祥有樂只之譽鄉民愚多溺

女應龍責里保呈報防戒之又作歌句申勸之始多
存活有以買女名者書時民載坊廂編有丁銀或貧
不能納以致流亡應龍思有田畝家力尚可支條陳
上官將丁銀盡推入田畝丁困始甦至誠愛士每遇
攷校不受請
囑士民感之

國朝郭士賢遼東人由貢士順治六年任上元縣八年
歲大祲流亡相繼糧額莫辦士賢申請將
各院罰贖銀兩盡發糴米入倉不足則以己俸益之
二年之中一水一旱皆用此法民力不困而國儲亦
不虧最
爲良法

姜廷槐字指木浙江會稽人由拔貢順治十年知上
元縣事時文運聿新士懷進取公因而教育
之其應童子試列前茅者必覆試數四拔其尤飲食
教誨如子弟然復屢行月課及科試彙選常加意甄
收多得名儁一時人士爭自琢磨風氣
日上其鼓舞之力居多也在官凡三載

宋葛郯字楚輔丹陽人以廕授上元丞會金人犯江上
元當敵衝調度百出郯不擾而辦留守張浚王

綸皆重之後
知建康府

**趙壘之** 建炎中爲上元丞金人過江諸將引去壘之帥鄉兵迎敵死之贈奉議郎德祐初有程洙者上元主簿建康陷亦死于官

**明袁龍** 直隸合肥人成化中由監生任上元丞明道祠將廢龍捐俸修治居縣久民愛之如父母爲之謠曰袁撫民

**劉元泰** 字孟達四川內江人萬曆十四年以官生丞縣潔己愛民才亦精敏委署縣事深知吏胥叢弊貽小民害征斂正供外革去冗費清理軍伍裁冗書十六人民恐其陞去競詣上官保留之

**宋程顥** 字伯淳河南人舉進士授鄠縣主簿嘉祐間調上元攝縣事嘗言一命之士苟存心於愛物於人必有所濟以故治多善政茅山池有龍如蜥蜴而五色民俗嚴奉顥捕而脯之使人不惑見持竿粘雀者命即折其竿鄉民遂不敢蓄飛鳥邑田近美爲貴家富室以厚價薄其稅而買之小民苟一時之利久

則不勝其弊顥畫法不擾而稅大均且塞隄以從民便每訟日不下二百爲政者疲於省覽無暇及治務顥處之有方不閱月訟爲之簡水運經邑境舟卒病者則留之爲營以處歲率數百人至者輙死顥察其由蓋計留然後請於府給券乃得食此有司文具則困于饑已數日矣乃預白漕司給米貯營中至者卽與之食自是生全者大半

**漢蔣子文** 廣陵人嘗自謂已骨青死當爲神漢末爲秣陵尉逐盜至鍾山下被傷而死後人見子文于道侍從如平生以爲神而祀之代著靈異

**明隋吉** 不知何郡人洪武中上元縣典史上言農民之中有一夫一婦受田百畝或四五十畝者當春夏耕種方殷或不幸夫病而婦給湯藥農務旣廢田亦隨荒及病愈則時已過矣上無以供國賦下無以養室家窮困流離職此之由請命鄉里小民或二十家或四五十家團爲一社每遇農急之時有疾病則一社協力助其耕耘庶田不荒蕪民無饑窘百姓親睦而風俗厚矣上善其言命戶部通行曉諭

江寧

晉諸葛恢字道明瑯邪陽都人也祖誕魏司空爲文帝所誅父靚奔吳爲大司馬吳平逃竄不出恢弱冠知名試守即丘長轉臨沂令爲政和平値天下大亂避地江左名亞王導庾亮元帝爲安東將軍以恢爲主簿再遷江寧令討周馥有功封博陵亭侯復爲鎮東參軍與卞壺並以時譽遷從事中郎兼統記室時四方多務牋疏殷積恢斟酌酬答咸稱折衷于時王氏爲將軍而恢兄弟及顏含並居顯要帝即位徵用四方賢儁名恢爲尚書郎元帝以經緯須才上疏留之制調爲會稽太守太康初以政績第一增恢秩中二千石頃之以母憂去官服闋拜中書令王敦上恢爲丹陽尹以久疾免明帝征敦以恢爲侍中加奉車都尉討王含有功進封建安伯累遷尚書右僕射加散騎常侍銀青光祿大夫成帝踐阼加侍中金紫光祿大夫

卒年六十二

宋蘇頌字子容泉州南安人慶歷三年知江寧縣時建業承李氏後稅賦圖籍無藝每發斂高下出吏

手頌因治訊他事互問民鄰里丁產識其詳及定戶籍民或自占不悉頌警之曰汝有某丁某產何不言民駭懼皆不敢隱遂劃剔夙蠹成賦一邑簡而易行諸令視以爲法凡民有　事頌喻以鄉黨相親緩急相助之義民往往謝去時監司王鼎王緯楊紘於部吏少許可及觀頌施設則曰非吾所及也調南京留守推官

葉義問字審言壽昌人紹興中知江寧時秦檜爲相擅威福所親有被役者同官欲縱之義問曰釋是則何以服他人卒役之遷通判江州

王鎧番陽人景定初知江寧縣舊無學鎧甫下車慨然以興學爲任適朝命置學官鎧曰有師無學非所以稱上旨即建學於縣廨北又置田若干畝以備廩餼焉

劉垕閩之建安人尚書文簡公鑰之子寶慶三年知江寧縣事縣當制府之下應酬調遣爲令難其人垕爲政愷悌慈祥不擾而事辦制閫以賢能薦于朝俾兼幕府

張孝伯　和州烏江人唐司業籍之後宋贈少師郡之猶子閣學孝祥諸兄也隆興間進士淳熙九年任江寧知縣蒞政即訪求民瘼奏停年租額外徵辦値江南大水民饑詔賑䘏建康之被水者始立養濟院孝伯以荐董其事累遷叅知政事五閱月而罷時韓侂胄當國孝伯勸弛僞學禁始復趙相如愚官一時貶斥者得還故職子郎之以父恩授承務郎歷官司農寺丞知嘉興尋宣秘閣致任以善書名天下

元吳德　至元中爲江寧縣達魯花赤有才幹常有興作民不知勞遷縣治于城南故縣尉司地

王蒙　保定人大德間知江寧修築堤圩以政績聞秩滿遷建德路推官

明張允昭　洪武間知江寧上言江寧上元二縣在輦轂之下宜建學校以教京師子弟於是命置應天府學教授一員訓導四員生員六十八人應天有學自此始

張士彬　山陽人洪武間以才行卓異荐知江寧有政績擢監察御史以直聞

張安仁　字仁夫九江府人洪武初以人材授江寧知縣爲人清謹忠實時國家新造建設縣宇旁

午不給安仁平明坐廳事饔飧皆就公案百務具辦治爲時最在任五年卒

**紀肅**字宗魯山西人洪武中以荐舉任江寧知縣存心仁恕民犯法者惟以善言曉譬有部民負内府廚料不能償鬻妻以納官肅聞之愀然曰有司不能導民於善致使破家誰之咎也遂出妻孥簪珥令民贖妻還後肅卒于官民夫婦號哭如喪父母喪還民置主于私室奉祀之

**王愷**字時舉蒲圻人靖難兵至應天求堪治劇者廷臣咸舉愷授江寧知縣時初定之後庶務旁午愷有精力而勤敏果斷處之裕如由是政績著聞命巡察畿南一日上問錢穀出納愷對纖悉不遺後擢左春坊中允

**張德中**字大本浙之鄞縣人永樂間以工部主事改知江寧縣不事繩法一以愷悌寬仁爲本民有犯罪當流者其母愬身老無他奉養乞留以全餘生德中曰得罪發竄者法也留養者情也古人申情于法中以長其仁不執法于情外以成其忍遂杖而遣之扁其堂曰思敎自號曰江寧牧禮部舉修永樂

大典書成還
秩以疾卒

**李褒** 景泰中授江寧知縣興利除害多所遺惠修葺公宇起重樓以居群吏論賢令者常首稱李云

**胡謐** 會稽人天順間知江寧廉明有威斷事至剖決如流邑中稱平以經術自任政事之暇諸生執經問業者日常數人擢督學副使

**劉傳** 字師正嘉定人由進士成化十三年知江寧縣事縣有疑獄經數年未明傳下車一訊而決人皆稱平性寬緩不事煩瑣在任不干聲譽去後民多見思云

**朱宗** 字子因睢州人弘治初任江寧知縣平易近民前丞胡溥富順人居官清約夫妻皆卒于任家遠無資可還停柩于城南寺舍數載宗偶知之即捐奉資爲購地安厝立石于側題曰鳳臺義塚

**袁陽** 字健甫直隸灤城人弘治十一年以進士令江寧下車即有政聲舊坊廂編役率十年分當四季後供應太繁未及期月即易民愈坐困陽深憐之爲白于府凡諸司取用必先赴府給票下縣方准應

付若經投縣者不得私與自是取者頓減得復舊期
以憂去任服闋補上元尋卒民至今思之

**王誥** 字承恩霸州保定人弘治甲子舉人初令貽
誥負材畧防變應卒暨安慶被圍協其守與帥固拒
之卒全城克敵誥與有力焉正德十四年秋改江
寧當武宗南駐徵需旁午加吏民多竄伏誥調停區
畫不乏之上供而不重病民俾中又修邑志修縣治
見少京兆寇天叙舊志叙邑人
張琮景暘修縣治碑歷知蘭州

**崔尚義** 直隷長垣縣人由鄉貢嘉靖十二年任江寧
令律已甚正吏畏民懷刻箴門屏以自儆

**祝朝用** 字尚賓四川儀衛司人由鄉貢嘉靖二十五
年任江寧令賦性鯁直清約撫恤黎庶謹出
納抑浮費搜剔房科姦蠹猾胥無所
騁而惠行于坊鄉歷戸部主事去

**何价** 字維藩湖廣衡州舉人嘉靖三十三年知江寧
自嘉靖中年以來羔雁漸侈人工事上而輕剥
下价獨謝絕請託惟務節
省民財挺然在風塵中

金傑浙蘭溪貢士嘉靖三十七年來令江寧性恬澹持正懷慈行仁不忍鞭朴迎送供億常以樽節而致色忤傑見民多可傷不能瘠民以奉上居官未半歲一夕因謁上官歸中途授印于吏遂去不知所之後人傳其隱九華山事仙學云

李一鶚字時薦山西應州貢士隆慶元年任江寧令洞知公差下鄉民不堪擾乃與民約止用里排勾攝不差皂隸民亦信之無敢違時多藉羨金以供冗費司入者且緣爲奸乃悉革收支火耗吏書則陰疾之民稱平治陞戸部主事

武鍧字克純山西陵川縣鄉貢性卞急而居廉直其令江寧也當萬曆初京邑賦役經京兆奏處稱平而使客供億舊行借辦什物常夥而姦役浸没半不給主鍧疾之爲造什器公貯拮据措置幾二百金立石于庭防去後乾没云亡何以詿誤免

雷學尹字尚志湖廣隨州舉人萬曆十一年任江寧令軫念民瘼勤督庶務嘗日有司一不屑于

猥瑣即狐鼠得肆毒噬估修驛象等四門既修理板橋公館諸大小公廨皆躬自步算嚴覈課程費無冒破而工就實用府水田澇壞民苦荒饑爲設修圩欵目事均而易集陞南戶部主事

周詩字與言直隸崑山縣貢士萬曆十八年來知江寧志尚敦實恥獵虛聲始至即與民約遵成憲修舉廢墜外惟圖與民休息凡士民有訟于庭務酌情法之中爲之調劑彼此各得其情所謂居無盛名去常見思者也陞南虞衡主事初以邑志久缺鋭意修纂去後志成由其發端云

劉必達號柱石陝西三原人由舉人知江寧縣風裁凌厲不畏强禦明察善斷故案無留牘而四境晏然歲旱禱雨即應歲以有秋蝗蟲爲災必達嚴行捕滅使無遺種連年大熟尤加意學校賑貧扶孺輕徭役豁贖鍰善政頗多足稱古之遺愛云

田有年號心海陝西人由舉人任江寧令居官清絶一塵氣岸骨立故事初謁守備太監用廷參禮有年獨長揖監無如之何揚州獲一狂僧攀誣庠生余中鰲魏國族人徐維禮等私蓄兵器謀爲不軌

大司馬錯愕命有年搜究年躬往查
核都無所有據實詳報四生得免

郭廷輅字時制文水縣監生嘉靖中爲江寧丞職司
清軍舊任職者多以侵審廢民業甚或恣吏
胥爲奸廷輅律巳既約御民以靖欵欵有法清而不
擾時又審編戸籍泒均而人服稱佐令之賢者焉

黃光涵皖之太湖人嘉靖中爲江寧丞嘗攝簿事簿
故職儲有恻金每里甲之長歲代編戸輸漕
因以恻金餌簿從中朘削不可勝言光涵惡其厲民
也獨正色不受商之令石公允珍轉聞上官勒石著
爲令

元梅鼎大德五年主江寧縣簿時縣境值江潮泛漲歲
凶民無賴鼎設法賑濟民不流移在任闗治塗
巷修葺公宇若營家室不惜勞瘁常俸之外毫無所
取尤善理刑人畏而敬之蒞政三年以賢蹟著聞選
充江南行
臺令

陳益字汝謙太平縣人至順中任江寧主簿在任以
清謹稱時民饑疫死者枕籍益出郭見遺骸兊

然爲之
掩瘞焉

明馬應祥 字伯圖陝西榆林衛監生嘉靖中主江寧簿
追徵糧差不問餘羨謝絕糧里常例不取兌
運軍儲或爲軍官折劄旗甲欺侮曰吾爲百姓無怨
言無何卒於官邑人哀之

宋劉宰 字平國金壇人紹熙初爲江寧尉時民俗惑于
巫覡宰下令保伍互相糾察奸無所容改業爲
良民歲旱賑荒多所全活去官篋中惟詩囊而已調
眞州司法累遷直顯謨閣

句容

晉劉超 字世瑜臨沂人以忠謹清愼爲元帝所拔恒侍
左右遂從渡江轉安東府舍人元帝即位補句
容令推誠于物百姓懷之常年賦稅主者常自四出
詰評百姓家貲超但作大函付之使各自書家産投
函中訖送還縣百姓依實投上課輸所入有踰常年
蘇峻亂死節

南北朝孫謙 字長遜東莞莒人宋時爲句容令淸愼彊
記縣人號曰神明後歷二縣五郡所在廉

潔居身儉素牀施籧篨屏風冬則布被莞席夏無幃帳卒官時年九十二

周羅睺字公布九江潯陽人年十五善騎射好鷹狗任俠放蕩收聚亡命陰習兵書仕陳爲句容令後齊師圍吳明徹于宿豫羅睺突進莫不披靡斬首不可勝計明徹之敗羅睺全衆而歸進爵爲侯仕隋功名甚顯

唐岑植鄧州人文本孫也爲句容令明達善斷尤悉民情僞纖毫必察黜陟使源乾曜荐于朝

邵全遘天祐間爲句容令廉介不阿剛毅有爲修築城垣愼固封守民多德之

宋龔宗元吳人天聖間進士知句容縣發奸摘伏政稱神明部使者不入其境

方竣慶曆間爲句容令廉愼有爲愛民興學重修夫子殿宇自爲文以記之

葉表元豐間爲句容令下車之初首詢風俗崇尚德化以學舘汙漏庳陋縣南廢驛遷造郎今儒學也學成自爲文以記之

**趙時侃** 金壇人慶元四年爲句容令初縣增科和買大爲民害侃白郡守吳珤府帑歲出萬三千緡爲之代輸又修學宮取沒官田以養士民人祀之學宮

**張榘** 南徐人淳祐間爲句容令修德行政敦崇儒教製祭服定禮儀歲將大比設文會以嚴課試生徒多所造就邑民感化

**葛秉** 德祐元年知句容縣事元伯顏滔建康招諭句容秉兵敗自繫獄死之

**張侶** 邢城人寶慶元年爲句容令政通人和百廢俱舉紹定元年開放生池築亭作記是年有五瑞産於縣境漫塘先生劉宰記之江千里有跋碑在儒學明德堂內

**元趙靖** 至大中爲句容尹首建學校縣額歲辦紅花若干斛非土所有民頗苦之靖爲請于上官獲免有謝潤者尹是縣亦以政績著聞

**程恭** 泰定二年尹句容以撫字爲政諸所不便于民者亟除去治後有廢址乃植桑萬株民趨效之

有古良
吏風

**明韓鼎** 浙江定海縣人正通七年由舉人為句容令存心政大行政簡要吏民多所畏服以疾卒於官

**劉義** 諸城人明察曉吏事景泰間丞句容以政績優異進知縣凡民間奸滑豪斷皆知其主名有犯即捕治之里中肅然又俗以奢侈相高尚婚喪多踰制者乃嚴為約禁人多化之

**徐廣** 曹州人成化間知句容抑強扶弱作養士類有聲畿輔間

**李澄** 字天映西華人由進士為句容令心存仁恕政尚清勤嘗遍書訓詞勸民為善捐俸市藥以濟貧病買地立阡以瘞窮氏成化二十一年召授監察御史

**樊垣** 字伯師四川宜賓人由嘉靖癸丑進士授句容令英年長材剸繁理劇綽有餘裕時值倭夷煽亂三吳橫遭焚溺垣懼容無城難守乃請諸當道設法創造瀕完倭五十六人由容邊界走小丹陽直犯京師垣率衆登陴晝夜捍禦卒免蹂躪之禍

徐九思字子愼貴溪人嘉靖中知句容性淸介恥逐
流俗凡供億務從節約事當興革毅然必行
九年不倂民甚
德之擢主事
丁賓字禮原號改亭嘉善人隆慶辛未進士爲句容
令首建義倉行鄉約淸田賦減徭役豁羨餘歲
省民供本折各七千七百有奇治七年以卓異入爲
御史歷陞南都察院提督操江革債弁科減月糧之
弊除上江二邑廂坊僉役之條濬浦口諸河以利涉
廣京口外塢以通漕復鎭江石橋勤船禁以救溺疏
丹陽朱港濫泥河洪以漑田治南北四百里孔道甃
石蔭榆柳以便行旅其居官實政大抵如此又捐田
以賑學宮力行同善會歲無虛月年九十
有六三受存問卒贈太子太保謚淸惠
國朝周曆長字襲三汀之武平人由舉人康熙七年爲
句容令時年未三十沈敏有爲每有難獄
片言立折知僥俗好以隕命取勝公必輕騎往覩訊
得情實旋與拚䕶在任三年以淸節聞上下安全得
告政成陞姚
州知州去

唐楊於陵字達夫陝西人漢太尉震之裔孫也擢進士調句容主簿器局峻整居官清介絕俗未嘗從人俛仰時韓滉節度浙西性嚴急惟見於陵歎然乃以其子妻之

宋胡崇徽州黟縣人淳熙四年進士第授句容簿制置使吳潛辟爲閫幕委行經界法於溧陽不履畝而人無所欺歷官太常寺丞兼尚書右司郎官

明賈禎字廷瑞陝西安化縣人由監生成化二十一年爲句容主簿蒞任三月平易愛民時値亢旱徒跣躬詣三茅山迎龍禱雨往廻拜跪一念之誠期於格天行至城隍祠下偶罹暑毒卒縉紳士民感愴不巳皆形諸歌詠以哀挽之

宋張泌建隆二年爲句容縣尉上書陳十事其畧曰一舉簡大以行君道二畧繁小以責臣職三明賞罰以彰勸懲四愼名器以杜威權五詢言行以責忠良六均賦役以安黎庶七納諫諍以容正直八究毀譽以遠讒佞九節用以行恭儉十克巳以固舊好帝嘉納之擢監察御史

溧陽

漢潘乾字元卓陳國長平人光和中察廉爲溧陽長有惠政崇禮興教郡人爲立校官碑稱其履孤竹之廉蹈公儀之潔布政優優令儀令色矜孤頤老表孝貞節推泮宮之教反决拾之禮自漢至今千餘年碑多剥闕不可讀尚家藏而人誦之焉

南宋江秉之字元卿濟陽考城人爲永世令以善政著名後令建康

羊元保字泰初南城人永世令廉靜寡慾後人思之俱高祖時任

南齊褚球字仲寶陽翟人溧陽令少孤貧篤志好學有才名令溧陽以清聞公俸外一無所資後天監中復令建康

樂豫爲溧陽令卒于官有老嫗擔薮貨于市聞之棄薮而泣曰失樂令我輩應死耳一市皆泣

隋達奚明大業初爲溧陽令盡心民事嘗疏鑿涇瀆以備旱潦

唐柳均字正平河東人嘗令溧陽訪求民瘼惠政周洽有古良吏風

喬翔字方慶開元中任溧陽令創立浮梁於城南以便行旅造帳坊建門樓邑中蔚成大觀云

鄭晏南陽人天寶中任溧陽令有感於貞義女之事乞李白文勒石以祠之白又有贈晏詩見藝文志

陸侃吳郡人大曆中爲溧陽令有政聲陸宣公之父也

宋羅彥輔字經世當塗人嘉祐進士補溧陽令值歲祲道殣相籍亟請發長平粟賑之且勸富家分穀全活甚衆部使者將上其事彥輔曰救災令職也何以賞爲終知睢州事

鄭驤字潛翁玉山人元符中知溧陽縣歲饑民轉徙他郡漕司按籍徵稅驤曰稅出于民民亡稅何從出令不捐逋賦民亡愈多使者不能屈時又議鑿河渠自建康導太湖水入江壞民田廬調江浙二十五州丁役費萬計時遣官視可否驤力言其害議遂止遷通判岢嵐軍

**章元任**字莘民宣城人紹聖進士爲溧陽令時水潦爲災民流離轉徙迄無寧居元任發官粟并諭大姓出穀作糜以飼饑民全活者甚衆官至朝奉大夫

**李衡**字彥平江都人進士爲溧陽令先是吏與民不相浹每夏秋二稅督責甚嚴而逋負者歲積衡至專以德化視民若家人民大悅服輸稅時先期與民約榜之縣門民讙趨之稅額皆辦有訟者隨輕重諭遣之囹圄無重囚隆興二年金犯淮甸人相驚曰寇深入矣他郡守多送其孥衡獨自浙右移家入縣民心大安時江淮間賊盜蜂起而縣境晏如轉運使韓元吉等列上治狀詔進一秩

**陸子遹**山陰人嘉定十二年令溧陽溧陽俗故武健而信淫祠巫覡有白雲宗者以妖術誘致良民轉相憑結子遹至迺興學校習禮讓擇民之秀者教之而使勸化其愚謂諸巫曰是不兩立有我無若輩乃誅鋤其魁者一二人所據民業悉歸其主縣境肅然乃以農暇治冓瀆新公署郵傳橋路皆井然可觀溧陽賢令至今言子遹

明盧何生字允迪南豐人洪武間知溧陽縣以洗寃澤物自任治事朞月刑政爲清有刺事官校過縣挾勢索賄賂何生密以聞上立誅之由是賢何生縣積逋稅萬計民貧無從出何生諭富家貸輸又令籍荒田墾爲已業逋皆完在邑四年有不悅者屢言其短上不聽益勞勉之

盧文政江夏人溧陽令清白奉公愛民勸學始建養濟院陞吏部主事官至太僕寺丞

鄔璹新昌人宣德間初爲溧陽丞能修其職尤鋤抑强梗使不得暴艮善有訟者即命持牒與仇家俱來願解者聽胥隸不得至里門民大懷服會職滿當去民詣闕借留一年陞知縣後卒于官百姓立祠祀之

熊達字成章南昌人由進士任始建鄉賢祠于學捐置義塚以絶水菑開濬澡車涇以通水利民感其德考選御史官至叅政

楊榮字以仁永川人由進士以御史謫知溧陽縣有風采濬百丈溝八百餘丈中存九壩以利灌漑

士

王侃主簿剛毅敢爲宣德間有賊陸翁子等集攻港
口刦財殺人道路亘塞公同其子達率衆逐之
賊勢鴟張衆潰公矢盡被執達奮身往救俱遇害事
聞發兵勦滅而卹典未加迄今二百餘年猶有觖望
焉

唐孟郊貞元中進士授溧陽尉迎母奉養作游子吟以
自悲縣南有故平陵城幽邃岑寂郊日乘驢往
坐積水傍苦吟至日西始還令不佳所
爲白府以假尉分其半俸卒以窮去

宋陳景周嘉定進士授廸功郎溧陽尉溧陽地曠事繁
巡徼之吏倍於他縣民負氣喜鬬獄多滯囚
景周謂察獄在初而初情惟尉能得故職所當親雖
猥不憚言有可證雖微必察邑是以無寃民更新廳
題名記劉宰爲之叙以
政明令嚴公且淸稱之

溧水

唐岑仲林鄧州人中書令文本孫爲溧水令以政績著聞時兄義令金壇仲翔令長洲皆有聲而仲林尤見表樹宰相宗楚客囑監察御史曰勿遺江東三岑

王通字玄覽長壽間任增益戶口以清勤名

竇叔向金城人以左拾遺爲溧水令優于治善屬文政績爲諸邑冠其子五人咸秉訓誨成顯宦而叔向之政最著

白季康太原人嘗令溧水以誠信化人不尚威嚴而性清介不取邑人至今思之

宋周邠字開祖元豐四年知溧水縣事稅賦外秋毫無擾于民有張華者亦以清介稱

李衡字彥平江都人紹興中進士隆興元年任博學能文操筆立就專以誠意化民注情學校諸生向風累官至副御史改起居郎以秘書修撰致仕

周邦彥字美成錢塘人元祐八年任雅嫺于文詞一時稱爲才吏在縣作蕭閒堂揷竹亭題名諸

記及他什甚富
而不妨于政

李朝正 字治表由太學登第紹興間知溧水縣有異政秩滿民泣留高宗曰近時縣令以政績被
薦輒別除差遣莫若進秩久任之庶幾民安其政乃
召對遷一官賜五品服遣還　辭乞易所得章服封
母從
之

史彌鞏 字南叔鄞縣人嘉定進士丞相浩之從子丞相彌遠之從弟紹定元年任爲人好學强記
性剛介而政精明人服之首嚴庠序累官提點江東
刑獄歲大旱活饑民百餘萬後知婺州卒年八十眞
德秀嘗稱其
皭然不污

明郭雲 隋州人洪武中任溧水州尋改知縣兵火之後
邑甚凋敝雲至力任之建置縣署百廢具舉而
持以廉潔
士民咸悅

高謙甫 平陽人洪武初知溧水徵收不擾差役均平
以廉能稱

燕壽 咸寧人成化間知溧水臨下以莊簿書秩然政平訟理吏不能欺

欒尚約 膠州人由進士嘉靖三十年任在官多惠政百姓懷之凡所修葺迄今皆指爲欒公遺澤愛比甘棠有縣宰題名記暨正顯東岳廟碑見藝文志

劉應雷 江西萬安人由進士隆慶三年任時傍邑有以糧數千石倖嫁溧水者雷力爭當道以勝氣臨之執益堅決事竟直又丈量田畝無尺寸漏因高下制賦克當見于歌謠被召去卒于塗民立祠祀之

陳子貞 字懷雲江西南昌人萬曆十六年進士令溧水以實心爲政愛民如子待士若師勸善簡訟講學課文不矜情儉不尚虛文邑祠祀之行取御史旋督學江南最有聲

徐艮彥 字秀艮江西新建人萬曆戊戌進士補溧水縣應天八邑俱有解京皇磚之役歲僉富戶轉解多至破家艮彥請于田糧少增分毫悉付蘇州府慣燒匠作總解以免駁換之弊議行而民便凡上

官經臨一切供應什物設處官置立爲定則不使貽累坊長每年會計淸算申明胥吏不得影借聽訟不形喜怒使民情得以上達而贖鍰多免每嘆溧水東南諸水直瀉無情西北風氣不聚倡義民建塔以塞水口于是民多豐饒行取御史以忤璫被譴崇禎初起大理卿歷工部侍郎

**徐必達** 字德夫別號元仗浙江嘉興府秀水人萬曆壬辰進士初授太湖縣多惠政以丁內艱服闋補溧水甫下車問民疾苦舉冣重者莫如田畝丈量之務先是明永樂初溧居蘇常上游吳下每受湖水之患因築東壩以塞湖水爲吳都利則溧害生南湖之漂没泯濫十萬餘畝化爲汪洋不可問糧税矣前令陳子貞不得已以每畝加鈔引一分有奇以克前數則李代桃僵民不堪命且丁條二項悉重于他縣而協濟銀尚三千餘兩措辦尤難公心惻之比例高淳改折以甦民困代邑張曉等草疏使叩閽以請公後歷遷至應天府尹操江都御史始終以溧爲意每與諸當道激切言之卒獲改折皆公之力也

**張錫命** 號月沙四川瀘川人萬曆丙辰進士授溧水縣邑有改折田糧事前令歷歷申請未獲報

明劉啟東字伯陽河南羅山人由舉人嘉靖二年知高淳縣性精敏善經畫憐民間養馬之苦欲歸之宣城因令代出驛傳銀一千八百兩及斷還馬場田七千餘畝民賴以安又建學宫創制各署設壇社築七門百廢具興淳治郁然改觀

甘惠崇陽縣人由舉人嘉靖十九年來令高淳有善政愷悌臨民周恤貧士治西有渡行者病涉惠造爲梁民稱之曰甘棠橋

胡儒廣西儀衛司籍由舉人嘉靖二十二年任高淳縣連歲大旱道殣相望乃捐俸賑救悉停徵科本年漕糧至次年秋收始兑因被劾邑民赴京泣保得改績溪丞擢江浦令

方沂江西浮梁人由舉人嘉靖三十六年知高淳縣實心愛民時大潦永豐鄉被水獨甚則盡蠲其里役漕糧缺兑乃悉發庫糴補民賴以全入計無貲稱貸雇夫役而行砥節奉公至今頌焉

薛夢李浙江嘉善人由舉人嘉靖四十二年令高淳柔直渾厚儉約簡靜日講學訓民爲事時景

王道金陵捐俸雇夫以代民役民有愁困訴者輒爲流涕去後立生祠祀之

李德望江西新淦人由舉人嘉靖四十四年令高淳才明敏處事精核有條理時官田賦重苦于徭役則以四百畝配民田百畝立五段錦法調劑之甘苦適均民甚便焉

董岐鳳雲南石屏州人由舉人萬曆十四年來爲高淳令性明察悉究奸弊時大水諸圩盡没迺懇訴於京兆許公孚遠得疏請内帑銀三千兩修築買當塗湖灘作遮浪埂以捍南蕩圩田一萬七千餘畝至今賴之

宋祖騰字爾英福建莆田人萬曆甲戌進士由偃城調高淳令周悉民隱獄必得情吏民安之三十六年大水民居湮没百年未見之災祖騰架大航不避風浪沿鄉救撈兼督丞尉吏役各拯多命安插民間飢者粥病者藥又力請于上悉緩諸徵發常豐倉谷三千石平米價不致湧貴各鄉特祠以祀

莊鐸字慧航粤西典安人由舉人天啓六年任縣事矢德化不任峻刻淳以虚糧賠累幸邀永折民

因稍甦特借徵本色三年力控兩臺具題有餉事孔
急需邊疆寧靖再議之旨後來議改折者皆踵此以
行二王就藩道出龍江奔馳迎候悉索以代民役而
民不知其自譙樓學宮兩坊廒廩使華館舍俱節省
俸薪以相載事大夫交相
器重擢江陰海防同知去

周光霽字澹菴湖州武康人由舉人崇禎中知高淳縣馭下清肅獄訟平恕連歲大旱儲積皆盡
民間至屑榆爲粥掘白土以食稱觀音粉斗米千錢
而上督漕急特貸圩諸鄉尚有薄收光霽自立印券
貸之輸將如期明歲秋登
悉還無逋人稱其才畧

國朝崔掄奇字正誼夏邑人順治丁亥進士九月任縣事淳有虛糧求復永折自天啓至今沉閣
不得行力請巡按上官鉉特疏奉
旨永折良民困大甦立碑頌之奸人李德恭假充撫院私
察州縣奇覺其詐收禁之仍票召宣營兵來迎滿城
驚駭奇獨無恐兵至熟辨之曰此僞也立解正法人
服其聽智後
陞工部主事

明晏朝賓　萬曆二十二年以選貢爲高淳丞愷悌馭下樂易近民勤于職任治事之暇盡意書史訟事奉上委鞫當情而止勿取贖鍰以迎上意署縣徵輸而外不與詞訟民庶樂業

江浦

明嚴廸　餘姚人明宣德中由貢爲江浦縣令氷蘗以持已敦篤以撫民歷任九年終始一節時承國初草創黌序卑圯慨然捐俸創新考滿乞歸囊惟圖書家仍茅茨人皆高之

羅信　固始人景泰初知江浦縣誠實不欺民有事至縣庭者皆爲欺約遣之不施鞭朴民大信服縣治圯壞信更新之歷任數載始終如一

勞鉞　德化人景泰間知江浦以興學育才爲先獎勵後進惟恐弗及一時士風彬彬任六載擢湖州知府

彭烈　字肇烈江西盧陵人景泰辛未進士授御史以劾巨奸出知江浦縣事淸操勁節奕然有聲爲

治寬嚴適中事至不動聲色處之允協居三載政通民和升累官廣東左布政

**耿瑤** 河南盧氏人淸惠公九疇裔也嘉靖五年以鄉舉授江浦縣廉公有威吏胥畏服察邑衝疲加意節省忿諸使非理夌轢核其郵符非實者卽碎去不爲應申准各縣協濟夫銀若干迄今賴之

**沈孟化** 福建永定縣人萬曆辛未進士爲江浦令才識通敏志操端方造士撫民悉本實心因本縣田賦不均申請淸丈戴星履畝不遺遐僻覈欺隱酌坍荒以見在之田均額徵之稅上不虧課下不病民累陞廣東參政

**黏洪錄** 泉州人萬曆戊午鄉試授江浦令惠心絜守力行實政服官數載民不知胥吏士樂有師保如華火耗支取省行廚修文廟治城隍皆實見施行乙亥流寇之變歌保障焉

**李維樾** 浙江瑞安人崇禎間由舉人授江浦令捍禦流寇著有成績勸輸賑荒德政在民重修縣志最爲嚴簡足稱良吏云

國朝許立達湖廣通山縣人順治十六年由貢元授江浦令賦性耿介居官廉明念徭役不均派定里甲以甦民困值海寇猖獗與典史蔣上達勵衆固守城陷被寇縛至江濱罵賊投江而死奉旨追贈按察司副使蔭子知縣建祠奉祀

明李文煥山西廣靈縣人宣德九年由歲貢授縣丞持已公廉蒞事剛果尤勤撫字拳拳以興廢救弊爲務如奏徙壇壝大修庠序治蹟懋著士民慕之弘治中知縣胡昉祀尊賢祠

## 六合

周伍尚楚人世以忠顯食采于棠爲其邑大夫尚爲人廉慈仁孝政多惠愛時稱爲棠君

漢鍾離意字子阿會稽山陰人建武中舉孝廉遷棠邑令意仁於用心縣人防廣爲父報讐繫獄其母病死廣哭泣不食意憐傷之乃聽廣歸家使得殯殮丞掾皆爭意曰罪自我歸義不累下遂遣之廣殮母訖果還入獄意密以狀聞廣竟得以減死論光武嘗以良吏稱之歷任尚書僕射

晉范廣字仲將順陽人舉孝廉元帝承制以爲棠邑令邑丞劉榮坐事當死家有老母至節廣輒聽暫還榮亦如期而反縣堂爲野火所及榮脫械救火事畢還自著械後大旱米貴廣散私谷賑饑人至數千斛遠近流寓歸之戶口十倍卒于官

南北朝劉懷慰字彥泰平原人齊高帝欲置齊郡於京邑議者以江右土沃流民所歸乃治瓜步以懷慰爲齊郡太守懷慰至郡修治城郭安集居民墾廢田二百頃决湖灌溉不受禮謁民有餉新米一斛者懷慰出所食麥飯示之曰旦食有餘幸不煩此因著廉吏論以達其意高帝聞之手勅褒賞進督秦沛二部後卒明帝嘗謂徐孝嗣曰劉懷慰若在朝廷不憂無清吏也

唐康公失名咸通九年任六合令時久旱民不聊生遂齋戒虔誠朝夕懇禱弗應乃跨白馬投江而卒後霖雨沾足秋大熟耆庶爲之立祠

袁珍敎化行虎豹鷹鸇皆出境事文類聚紀之

宋薛季卿以兵部侍郎知眞州六合縣事縣瀕大江民多逐魚鹽之利不勝則相聚爲盜鄉閭患之季卿嚴捕賞之格前後盡獲終季卿之世無爲盜者

朱定國字興仲廬江人宋神宗時由進士知六合縣事王安石方興水利有建議開馬昌河通滁州者提舉官從之定國言壞民廬田勞民筋骨工費甚大獲利甚微因以爲不可使者以定國首沮所論不悅屢困之卒不變定國因請于朝願得管庫以自便而他使者奏留不行定國嘆曰居可以仰祿而不知者數見困去可以遠害而知我者反見留吾命何窮耶直道以事人殆不可爲枉道以全身非我志也即致仕歸

龔相括蒼人紹興十七年知六合縣時稱冶山有金鑛朝旨求之相以其近邊恐生釁遂寢邑龍津石橋廢春秋滁水奔溢往來病涉相申請造浮橋爲船一十隻置房六間命僧居之以主修葺任滿罷

劉昌詩江南清江人嘉定七年知六合縣時有旨每戶三丁取一號曰義武民兵淮南縣令並兼

義武軍政六合原額二千餘人開禧兵革民多流亡僅有五百二十一人昌詩設法招集得七百有奇並於盤城瓦梁等寨分隸縣舊有忠勇軍乃請于朝降官會三千紙置庫積貯日收息錢專供教閱勸賞之用又創修邑志續建題名記邑人并稱其文教

**明陸梅** 四川中江人洪武初由貢士爲六合令果敢有爲時天下初定首以興學爲務次建壇局亭塔百廢具舉而民不告勞

**歐陽得基** 湖廣龍陽縣人丁卯舉人洪武間任公勤能撫輯有方一切事皆處適民情以疾卒於任百姓無不悲慟者

**黃淵** 河南洧川人正統中由貢士爲六合令首新學校規模宏展值大蝗齋沐懇禱蝗不爲災歲大稔臨事執法不通關節時人以板黃稱之

**唐詔** 字廷宣山東信陽人成化中由貢士任初至謁城隍廟誓于神以貪污爲戒絜已奉公推勤官

守尤篤于愛民薄賦慎獄民有訟造恒諭以禮藹如家人蒞任九年食不重簋時稱廉吏第一

周南字文化浙江縉雲縣人戊戌進士成化十五年任南才猷敏達藻鑑精明事無輕重不勞自辦尤篤意文教破格作興甄別最嚴匪徒文具故一時人材嚮進甲于淮東任六載中實多善政嘗刊近思錄勘量牧馬草塲并力舉文公家禮以正喪祭陋習久之政行俗變時稱明月有瑞雀來巢陳白沙莊定山俱咏其美徵拜四川道監察御史

萬廷珵字欽之江西安福舉人正德六年任素性雅飭故事每甲首該役財力必均輸無差等貧民多流亡廷珵立九等法酌量應役至今稱便

茅宰浙江山陰人嘉靖己丑進士令六合年甫二十有七老成持重人不得窺其喜怒明敏果決事不勞而辦省費愛民公私無擾自謂閑庭有古循良風

周薇鄞縣人嘉靖中由舉人任皇太后梓宮過諸司多獲罪薇區畫有方事不廢而民不擾于諸邑

稱最

何宏字道充廣東人嘉靖中由舉人令六合以身率
民正風俗闢浮屠懲暴扶善民不敢犯邑以大
治清修苦節溢事詳明有貴戚與豪民訟久不决當
道屬之處斷兩造懾服嘗斷戊囚御史田公德溫三
駁而三執不改田公不以爲倨翻重之京兆
黃公稱其清慎勤一字不少後拜南道御史

米萬鍾字仲詔北京衛籍萬曆乙未進士授六合令
豪俠高貴行事務持大體簿書之暇不廢清
課書畫皆臻能品鼓勵學校賑
濟飢民有水境慈母之稱焉

甄偉璧河南許州舉人爲六合令聽斷如神胥役無
敢肆者邑紳以筐篚餉拒不納曰無謂我可
貨取也邑東有貧士婦殉節者偉璧率教官佐貳式
廬哭奠闔邑感泣歲旱步禱隨車霑足遂以有秋精
算法田畝丈尺從指上屈伸
而得吏不敢欺擢濟寧守

陳載春歷城人萬曆庚辰進士六合濱江土瘠而民
貧過使往來頗爲民累載春至立法裁減以

九則定役役稱其家毋有訾竄屬核田之詔下精心勾稽得隱匿田若干畝載春日上意非益賦也欲平之耳于是減舊田賦額幾半又因以寬蘆洲之稅補開河損田之直以牘金易穀歲祲出之民不告飢圩堰陂塘以時築濬頒行六諭勸課諸生士民翕然向治載春食不重味衣必三澣出行郊野一榼自隨不以擾民入計之日垂橐蕭然

蔡如葵字午坪天啓中任六合令負才識善斷果毅有爲案無累牘時三王經邑民苦驛騷如葵力備供具爲橋于河東以渡之廠于郊南以居之市肆不驚遷江陰海防同知濱行市逋無措解袍帶以償焉

沈啓蛟字北源浙江長興人崇禎中由舉人任見事敏決不爲奸蔽編審于公所矢公矢愼十九里田畝盡行均攤差無重輕里無大小民戴其德

唐王績字無功絳州龍門人隋大業中舉孝悌廉潔授秘書省正字不樂立朝求爲六合丞以嗜酒不

任事府天下亂歎曰綱羅在天吾且安之授俸錢積于城門外托風疾輕舟夜遁還鄉里

宋程克巳 德興人嘉熙初任六合縣尉元兵犯境克巳及其次子附鳳俱死事聞贈克巳階朝奉附鳳爲淮西運司幹辦官

## 教授

宋周必大 字子克吉州盧陵人博學宏詞教授建康府必大純篤忠厚爲文溫醇典雅士論宗之除太學錄兼國史院編修官累官右丞相

王信 字誠之處州麗水人紹興三十年進士授建康學教授信有文學引誘後進循循不倦丁父憂扶其喪歸草履徒行雖疾風甚雨弗避也士論重之

元元明善 字復初大名清河人弱冠遊吳中有文名浙東使者薦爲安豐學正改建康明善頴悟絕出讀書過目輒記諸經皆有師法而尤深于春秋以文自豪出入秦漢間在金陵每與虞集相切劘遂衡

精詣歷翰林學士

明許存仁名元以字行金華人祖謙學于金履祥得朱子之傳明高帝幸金華訪求謙後召存仁至京師與語大悅即拜京學教授仍命入傳皇太子及諸王轉國子博士存仁與上論用人論洪範休咎皆合上旨嘗問孟子何說爲要存仁曰勸國君以王道省刑薄稅乃其要也歷晉祭酒

王汝玉名璲以字行蘇之長洲人年十七中浙鄉試洪武末授應天學訓導擢五經博士晉春坊預修永樂大典

王道字純甫山東武城人正德辛未進士改庶吉士會山東寇亂欲奉祖母避地江南疏乞補學秩爲應天教授道少馳騁詞翰鄉試爲陽明先生所舉聞其說乃研精理學取程朱書讀之反覆研味曰聖門之學平寔簡易如此嘗言張文成曹相國黄叔度管幼安皆于道有得雖考釋亦各有見未可厚非也自學秩歷銓曹兩雍執法端教表率人倫期于俗變風移而後已于書無所不窺所著述最多

鄭汝舟字宜齊福建莆田人以嘉靖壬辰進士來爲教授誨迪多士必約之矩矱寮友中有講學者汝舟曰六經語孟聖賢心印熟讀而躬行之卽學也何以唇脗標異爲其持論如此轉國博以參議終

鄧德昌字順之廣東順德人白沙先生弟子也忠亮直樸以古道自任嘗之白沙途遇盜抱書立船首曰我鄧德昌也盜知其端人不敢害任應天訓導以實行誘進諸生無敢操贄及門者嘗嘆曰士始入黌舍如處女然而我輩首以利道之欲成人材正風俗得乎時尚書湛公若水霍公韜望重一時與德昌爲同志友每造德昌必屏騶馭徒步入邸談道問政移時乃去德昌或乘驢與兩公偕行都市不知六卿廣文之崇卑也殉于學署兩公製服哭送之

賀鈞字信夫廬陵人嘉靖間爲府學教授退遜木慤以古道自處見上官不能俯仰與諸生言必依孝弟忠信束修之問悉却之有強者曰吾聞諸生某病某不能婚葬若以給之卽惠我也諸生受其資來謝則大喜齋厨索然猶捐俸寒士家人或譎之曰只如吾老諸生間來出仕而巳宗伯霍韜甚重之

**章世仁**字元卿直隸山陽人嘉靖丁未進士授開州守不拜固請學秩自效改應天教授其教壹先行義嚴立規條不率者請訕不少假或學業精進輒獎藉不倦臺使黃洪毗禮重之一切殿最咸倚裁焉春秋修行舍菜以嚴敬先多士陳箎滌釁升降都雅觀者嘆息仕至布政司參議

**王銑**字重之吳江人嘉靖庚子舉人以松陽令改應天教授日以課士爲務羣弟子員試之拔儁茂四十餘人督之加嚴每一義出悉心竄定午夜不休稍勸出酒蔌相勞苦人爭自奮凡經賞識多登上第進漳州別駕移疾歸

**胡旦**字稺明餘姚人萬曆庚辰進士爲應天教授溫厚恬雅人莫窺其喜怒講解勸課孳孳不倦諸士敬而愛之

**楊以任**號維節江西人與姚張斌同舉于鄉以斌博雅有品屈同譜之誼北面事之辛未成進士自以學仕未優請改應天教授接引諸生實行月課一二高年知名者忘分引交絶不以師長尊行自居

諸生贄禮盡爲謝絕有序應補廩而貧者具券以往以任揮去之立爲申請絕不受謝日手一編咿唔諷咏不分晝夜遂成瘵疾卒于南雍啓殯之日遠近服心喪以送者千人

**吳子玉**字瑞穀休寧人以歲貢爲應天訓導博雅攻古文典切贍麗不爲一切鑿空語一時名流多與之遊子玉每惡人恃才傲物延接諸生溫如春風以此推爲長者

**華復元**字貞季武進人少即知自立會耿在倫先生倡道東南復元心好其說每片語出輒摹刻而傳之由訓導徙太學再徙戶部居恒燕坐下簾不妄請謁獨門人過從巵酒留連談道竟夕十六年如一日諸弟子多登第者

**鄺子輔**宜章人永樂十八年爲句容儒學教諭方嚴端肅以儀軌自居稱師道者首子輔焉

**胡直**字正甫江西泰和人由舉人署句容諭蘊藉淵源操履端恪立教本諸身心嘉靖丙辰進士累官福建按察司副使人稱廬山先生

元林夢正號古泉以著述薦補溧陽州校官賊首張三舍倡亂爲夢正所獲罵曰爾祖父世爲國家臣子忍爲賊耶收繫獄寇勢倡甚劫三舍以去募生得林教授者賞夢正爲所獲賊欲降之夢正不可賊怒殺之

明秦約崇明人洪武初召試愼獨箴拜禮部侍郎以母老辭歸再徵詣京疏陳乞復書院書堂義學例愼守令之選另立一科四十莅職百日舉代郡邑三年造冊與志書同進以備國史採擇上悅因其年老難任繁劇授溧陽教諭御史鍊則成待制矣沈薦公宿學遺老合在館閣不報以老乞歸

夌子儉字素菴歙縣人由舉人萬曆三十三年署高淳教諭事端嚴渾厚不作崖異課文月必二會造就者衆陞曲靖知府督戰盤江死于陣贈太常寺少卿廕一子爲温州通判

孫鼎字宜鉉江西廬陵人領永樂甲午鄉薦授江浦教諭好學篤行以古人自期立教先德行而後文藝士習丕振時謀新學署首出己俸倡之工役竝就在任九年賓宋吏民咸服其德陞松江教授生徒

感慕圖像立傳鐫諸石言必稱孫先生
後用薦擢監察御史督學南畿尋致仕

**祝廷心**浙江麗水人永樂間由舉人任江浦教諭通
五經善誘人不事夏楚終日端坐怡怡然諸
生問難應荅如
響後引年辭職

**吾旱**字景端浙江開化人成化間以一榜署江浦教
諭事立心操行取法古人講學授徒崇德誼嚴
條約久而不倦人才多所成就嘗
典江西文衡居數載致仕而去

**應紀**字茂修浙江太平縣人庚子舉人成化中爲六
合教諭爲人孝友持正有義氣諸生贄禮及四
時餽送一無所受復捐貲以贍貧
士攝縣事平反寃獄綽有政聲

**方錦**字公襲江西貴溪縣人貢士嘉靖十三年以雲
和訓導陞六合教諭剛毅忠信動必以禮時値
學政久弛嚴立教課朝夕講究不倦士習一新縣令
茅宰嘗語人曰有益風化者僅見方先生一人耳陞
襄陽
教授

王敏字勉之浙江義烏縣人名臣忠文公禕之裔貢士嘉靖三年任六合訓導律己敷教每篤孝友不言聲利士之貧窶及不能婚葬者樂助之怠荒者篤責之勵行勤業者獎進所著有古今元覽

論曰古之仕者多不出其鄉雖有嘉猷傳之父老子弟而已自易地之制嚴于後代而當世仕宦或足跡萬里之外其能樹豐功建偉烈則銘金勒石固其宜也蓋東西異俗南北殊情其銜命而來者匪所素生豈能諳悉甚且秦越視之褰裳而去亦所在多有于斯時也有高賢數公矢其公明以勤撫字生之全之養之教之是不異遊子之得親于顧復也其流風善政曷可一日忘哉況江寧省會之地自監司以上諸

臺式臨漸以歲月大禮大役有書大兵大賦有書邇
年以來恒多盛美茍不誌其爵里昭示來茲斯亦載
筆者之責也夫峴山之思篤于後日甘棠之愛即在
旬宣此固無分今昔而咸得俎豆澤宮亦可見民之
不忘其長上而躬懷康濟者未可以疆域自限矣其
亦太常紀績之遺意乎

江寧府志卷之十八

兵制

昔人有言先王耀德不觀兵又云兵猶火也弗戢將自焚武事非聖人所尚信哉然考之禹貢揆文教奮武衛並重於賡歌喜起之朝安不忘危其明驗也我朝雖建都於燕而東南形勢以金陵爲首外連江淮內控湖海爲三吳要會之地則有備無虞凡所以爲衛國衛民之本計者奚必諱言兵也哉志兵制

經制督標官

中營於順治伍年三月內奉督院馬公國柱設立標

營酌定經制官九員內中軍副總兵一員旗鼓守備一員中軍守備一員千總二員把總四員馬戰兵三百名步戰兵二百名守兵五百名順治十五年內奉裁旗鼓一員實在經制官八員十六年爲再陳海上機宜等事抽調本營把總一員步戰守兵二百六十六名赴崇明水師防禦海疆康熙元年操標奉裁將太平左右二營歸併本標仍添把總一員併戰守兵丁補足原額康熙二年本標水營改爲右營將步戰兵一百名改爲守兵其經制兵丁一千名係馬二步八戰守四六康熙七年右

營奉裁將馬兵一百名歸併中營其經制仍添馬
三步七戰守四六又將渡馬淺船一十五隻舵戰
水手一百二十六名附入中營經管額外造支糧
餉康熙十三年將舵戰水手糧餉分入中左二營
經制數内造支中營分歸渡馬淺船八隻左營分
歸渡馬淺船七隻往來江干接渡大兵馬匹
左營於順治五年内奉督院馬公國柱設立標營酌
定經制官八員内遊擊一員中軍守備一員千總
二員把總四員馬步兵三百名步戰兵二百名守
兵五百名順治十六年爲再陳海上機宜等事抽

調本營把總一員步戰守兵二百六十六名赴崇明水師防禦海疆康熙元年撡標奉裁將太平右營歸併本標仍添把總一員併戰守兵丁補足原額康熙二年本標水營改爲右營將本營步戰兵一百名改爲守兵其經制兵丁一千名係馬二步八戰守四六康熙七年右營奉裁將馬兵一百名歸併左營其經制仍係馬三步七戰守四六又將渡馬淺船一十五隻舵戰水手一百二十六名附入中營經管額外造支糧餉康熙十三年將舵戰水手糧餉分入中左二營經制數內造支左營分

歸渡馬淺船七隻往來江干接渡大兵馬匹

以上中左二營俱駐劄省城護衛縣轅聽候抽遣

防禦之用並無汛守地方

一中營俸餉馬乾數目

中軍副總兵一員月支俸薪等銀三十一兩四錢五

分四釐八毫三絲三忽

中軍守備一員月支俸薪等銀十兩二錢八分二釐

八毫三絲三忽

千總二員每員月支俸薪銀四兩

把總四員每員月支俸薪銀三兩

馬戰兵三百名每名月支餉銀二兩米三斗
步戰兵一百名每名月支餉銀一兩五錢米三斗
守兵六百名每名月支餉銀一兩五錢米三斗
各官自備騎坐馬二十八匹
營戰馬三百匹
渡馬淺船八隻
一左營俸薪馬乾數目
遊擊一員月支俸薪等銀一十兩二錢七分八厘三
毫四絲
後二營官兵裁去仍留中左右三營管轄衆將一

員遊擊二員旗鼓守備一員中軍守備三員千總
六員把總十二員馬步戰守兵丁三千名順治十
五年奉文抽調官二員兵五百名赴崇明上海併
裁旗鼓守備一員十六年内復推總管任事統轄
江南江安徽寧池太廬鳳淮揚滁徐和廣十府四
州漢兵十八年九月内奉
旨將江南提督移駐松江統轄全省康熙元年將江寧
改設總鎮仍轄中左右三營中軍遊擊一員左右
營遊擊二員中軍守備三員千總五員把總十一
員馬步戰守兵二千五百名統轄江安徽寧池太

滁和廣兼管上江水師等處地方康熙七年八月内又奉部文江寧改設副將八年三月内將中營遊守千把等官奉裁其兵丁歸併左右二營十一年三月内奉部文統轄左右浦溧四營官兵其安嶶等營不屬統轄十三年八月内改設經制統轄副將一員左右二營遊擊二員中軍守備二員千總四員把總八員馬步戰守兵丁一千四百名内閑甲兵五十九名汎防江寧

一俸餉馬乾數目

中軍守備一員月支俸薪等銀十兩二錢八分二厘

八毫三絲

千總二員每員月支俸薪等銀四兩

把總四員每員月支俸薪三兩

馬戰兵三百名每名月支餉銀二兩米三斗

步戰兵一百名每名月支餉銀一兩五錢米三斗

守兵六百名每名月支餉銀一兩米三斗

各官自備騎坐馬二十二匹

營戰馬三百匹

渡馬淺船七隻

以上中左二營各官自備經制併營馬每匹春冬二

季月支豆九斗草六十束夏秋二季月支豆六斗草六十束

經制江寧城守官兵事宜

自

本朝定鼎以來改京爲省於順治三年設立昂邦章京提督一員統轄中左右前後五營綠旗官兵內中營叅將一員旗鼓守備一員四營遊擊四員中軍守備五員千總十員把總二十員馬步戰守兵丁四千名駐劄江寧續因抽調征勦閩廣等處將前副將一員月支俸薪等銀三十一兩四錢五分四厘

八毫三絲三忽　自備經制馬十二匹
左右遊擊二員每員月支俸薪等銀十九兩二錢七
分八厘三絲三毫三忽　各自備經制馬六匹
中軍守備二員每員月支俸薪等銀十兩二錢八分
二厘八毫三絲三忽　各自備經制馬四匹
千總四員每員月支俸薪銀四兩　各自備經制馬
二匹
把總八員每員月支俸薪銀三兩　各自備經制馬
二匹
馬戰兵四百二十名每名月支餉銀二兩米三斗

營馬四百二十匹

步戰兵一百四十名每名月支餉銀一兩五錢米三

斗

守兵七百八十一名每名月支餉銀一兩米三斗

以上各官自備經制并營馬每匹春冬二季月支

豆九斗草六十束夏秋二季月支豆六斗草六十

束

汛防事宜

左營分防城内自聚寶門街東起由自塔至神策門

止街西一帶地方俱係右營汛防街東俱係本營

汛防設中内橋街南係江寧縣所屬街北係上元縣所屬其城汛自聚寶門左首萬竹園一鋪止係通濟正陽朝陽太平門左首中梔桿一百鋪止係

左營汛守

分防城外自通濟門外米行起係本標右營接汛東南至高橋門上坊門外至索墅茶岡土橋等處一帶地方止北係上元縣屬本營汛防南係句容縣屬溧陽營接汛東至兩層山青龍山湯水張橋西溝東洋止西係本營汛防上元縣屬東係句容縣屬溧陽營汛防北至棲霞湖底止係本營汛防其

十把
遊守千把各官自備騎坐馬一十六匹
營戰馬三十匹
以上官營馬匹每匹春冬二季月支豆九斗草六十束夏秋二季月支豆六斗草六十束
船政
額設官船數目
黃快座船七十八隻
按黃快船乃前明遺存之艘原額八十一隻内安字二四九號三船於順治年間遭風毁壞未經造

補止現在船七十八隻每隻在塢看船頭舵水手八名出差加添水手六名耑供南北勘合差使及

運送

上用龍袍其工食差修等銀在本船額編黄快丁銀項

下支給報銷

快中刬船十六隻

中船十五隻原係新水營沙船裁併歸塢應差每隻在塢看船頭船水手四名出差加添水手三名又刬船一隻於順治五年間奉總督戸部發下歸驛應差在塢看船頭舵水手三名出差加添水手

三名其工食苫修等銀在於丁銀項下支給報銷

便民船四十三隻

此項船隻於康熙七年間奉總督部院郎　題請

援照汴梁通州加級紀錄之例令官員生監捐輸

打造奉

旨依議通行捐納於康熙八年六月内造成便民座船

三隻便民船一百四隻共船一百七隻續奉憲行

撥發蘇州府應差便民船三十隻淮安府應差便

民船三十隻止留江寧船四十七隻内除節年遭

風火燬船四隻奉文停造外實止現在船四十三

隻內便民座船三隻在塢看船頭舵水手三名出
差加添水手八名便民船每隻在塢看船頭舵水
手二名出差加添水手六名其看船頭舵工食及
苫蓋修銀經總督部院阿　題准於工屬蘆課項
下報銷支給

上下兩江宣樓船二百四十二隻

江寧府屬成造船八十隻安慶府屬成造船二十
五隻寧國府屬成造船三十隻池州府屬成造船
二十五隻太平府屬成造船四十隻廬州府屬成
造船三十四隻和州屬成造船八隻俱調集省塢

年來裝運凱旋同京官兵現奉　部覆仍令地方官毎年查修其船在塢看船頭舵水手一名出差加添水手六名

江寧代馬應差水郵額設大勝驛站船二十隻此項止供一站差遣裝送勘合火牌以及解餉前站等差止送上至釆石下至儀鎮一站差遣其工食苫修等銀在於驛站項下支給開銷

本府督糧廳監兌漕船附

江淮四幇額運漕船三十三隻兌運溧陽縣漕糧

江淮八幇額運漕船三十四隻兌運溧陽縣漕糧

江淮九幇額運漕船三十四隻兌運江寧溧陽二
縣漕糧
江淮十四帮額運漕船二十隻兌運上元縣漕糧
江淮十五帮額運漕船三十一隻兌運句容六合
二縣漕糧
興武二帮額運漕船三十三隻兌運句容縣漕糧
興武九帮額運漕船二十二隻兌運上元漕糧
興武十六幇額運漕船二十四隻兌運上元江寧
江浦三縣漕糧
興武十七幇額運漕船十七隻兌運江寧縣漕糧

以上漕船共二百四十八隻

大江舟師戰守往來考

吳聿曰江出岷山自湖口合流而下奔放蕩潏吐吞日月山或磯之則其勢悍怒觸舞大艑兀若轉梗至其廣處曠數百里斷岸相望僅指一髮而舳艫上下中流遇風則四顧茫然云所隱避自金陵抵白沙其尤者爲樂官山李家漾至急流濁港口凡十有八處稱號老風波而玩險阻者至是鮮不袖手

吳志曰魏文帝有渡江之志望江水盛長彌漫數百里便引退自嘆曰魏雖有武騎千羣無所用也

宋元嘉二十七年魏人聲欲渡江文帝大具水軍爲防禦之備所遣戍守將領軍將軍劉遵考等數十人所守地曰橫江曰白下曰新洲曰貴洲曰蒜山曰北固曰西津曰練壁曰譙山曰薄落曰采石皇太子出戍于石頭徐湛之守石頭倉城

齊建元元年魏王宏聞太祖受禪發衆入寇明年衆軍北討初寇至緣淮驅畧江北居民驚走不可禁止乃于滁山置二軍南置三軍慈姥山置一軍烈洲置二軍三山置二軍白沙置一軍蔡洲置五軍長蘆置三軍徐浦置一軍以備之魏不能攻

于寶晉紀曰魏文帝之在廣陵吳人大駭乃臨江爲
疑城自石頭至于江東垣以木楨衣以葦席加采
飾焉一夕而成魏人自江北望甚憚之曰彼有人
焉未可圖也乃還
張虞卿曰歷考前世南北戰爭之地魏軍嘗至瓜步
矣石季龍常至歷陽矣石勒寇豫州至江而還此
皆限於江而不得騁者也然江出岷山跨郡十數
備之不至一處得渡皆爲我憂使吾斥堠旣明屯
戍惟謹士氣振而人心固矣恃江爲阻可也雖無
長江之險亦可也苻堅百萬之衆馬未及一飲江

水謝元八千銳卒破之於淮淝豈非其效與不然伍巢以奇兵八百泛舟卽渡吳人有北來諸軍乃飛過之語韓擒虎以五百人宵濟采石守者皆醉遂襲取之由是觀之徒恃江而不足與守鮮克有濟矣曹操初得荆州議者謂東南之勢可以拒操者長江也操既得荆州蒙衝戰艦浮江而下則長江之險已與我共之獨周瑜謂捨鞍馬而仗舟楫非彼所長赤壁之役果有成功至于羊祜之言則以南人所長惟在水戰一入其境長江非復所用他日成功果如祜言故有如瑜者爲用則祜之言

謂之不然可也無如瑜者則祐之言不可不察也
說者又謂敵人以馬爲强而江流迅急渡馬爲難
敵人便於作栰而江流迅急非栰能濟是未知侯
景以馬數百一夕而渡王濬自上流來未嘗用栰
也州縣一也有最爲要害者津渡一也有最宜備
豫者苻堅自項城來壽陽侯景自壽陽秡歷陽孫
恩自廣陵趨石頭王敦渡竹格蘇峻汔横江侯景
渡采石考前世盜賊與夫南北用兵由壽陽歷陽
來者十之七由横江采石渡者三之二至於據上
流之勢以窺江左者未論也

王彥恢曰建康古都乃用武之地欲保建康必內以大江爲之控扼外以淮甸爲之藩籬又必措置兵食以贍國費然大江以南千里浩渺決欲控扼非戰艦不可大江以北萬里　途欲遏長驅非戰車不可舒廬滁和良疇百萬欲措置軍食非營田不

論江防要害有曰自古倚長江之險者屯兵據要雖在江南而挫敵取勝多在江北故呂蒙築濡須塢而朱威以偏將卻曹仁之全師諸葛恪修東興堤而丁奉以兵三千破胡遵之七萬轉弱爲強形勢

然也淮甸郡縣不必盡守故城各隨所在擇險據
要置寨柵守以偏將敵來仰攻固非其利若長驅
深入則我綴其後二三大將浮江上下爲之聲援
敵之進退落吾計中萬全之策也又有曰無爲軍
巢縣之濡須及東西關山川重復葢昔人尺寸必
爭之地大率巢湖之水上通焦湖濡須正當其衝
東西兩關又從而左右輔翼之餽舟既已難通故
雖有十萬之師未能便寇大江得逞其志淮西雖
號平地而水六要害皆可戰守
自建康至姑孰一百八十里其險可守者有六曰江

寧鎮曰碙沙夾曰采石曰大信口曰蕪湖曰繁昌又曰采石渡江濶而險馬家渡江狹而平相去六十里皆與和州對岸又曰和州烏江縣界可自江北宣化渡徑衝建康府之靖安鎮又泗州盱眙有徑小路由張店上下瓦梁盤城亦自徑至宣化渡不滿三百里又自上瓦梁下船直至滁河口可以入江

元人萬戶府鎮守地界自東而西起溧陽州曰急水港曰老鸛嘴曰觀山曰撅河口曰韓橋曰新開河曰大城港曰三山磯曰碙沙夾觀以上所記而古

今金陵控制之畧思過半矣
論曰嘗考周官司馬法教練不厭其多凡食土之毛者除老弱不任事外人皆知兵調發不厭其簡甸六十四井爲五百一十二家而所調者止七十五人葢教練必多則人咸習於兵革調發必簡則人不疲於征戰此用兵制勝之道也迨晉作州兵魯作兵甲齊臨淄二十一萬甚非先王之制秦漢以降唐府兵最爲近古而壞於藩鎭論者借之至宋之兵弱元之兵强明之兵先强而後弱制之善不善可見矣
本朝兵威遠過前代八旗屯聚於內率皆其世子弟入

則爲干城出則爲虎賁得唐府兵之遺制而去其害兵之所至罔不摧折靖三蘖定四海內輯億萬之衆晏然不事征伐此其時也但持盈保泰未雨綢繆釋廟堂南顧之慮者江寧尤爲重地察形勢而後知攻守之宜審攻守而後知江防之要愼無曰已治已安忘折衝樽俎之謀也

# 江寧府志卷之十九

## 科貢上

王者取士必辨其氏族里居非徒然也夫千章之材常託根於神區奧壤而況扶輿清淑之所融結者乎故士之登也誌其國誌其鄉誌其庠序以爲父母之教存焉則以人重地也以爲山川之氣通焉則以地重人也志科貢

府學上江并各衛

唐 進士

開元十五年 王昌齡 少伯江寧

人開元十五年進士補秘書省校書郎又以博學弘詞登科再遷氾水縣尉集五卷

**許恩**江寧人開元進士岑參有送許子擢第歸江寧拜親兼寄王昌齡詩任左拾遺

大曆

**孫革**韓翃有送孫革及第後歸江寧詩

冷朝陽上元人與

錢起韓翃

齊名翃有

送冷朝陽

登第後還

上元

詩

貞元陳羽陸贄下

八年第二人

登科歷官

樂宮尉佐

會昌項斯子遷丹

二年徒縣尉

南唐盧郢狀元以

試王度

如金玉賦

擢第遷南

全守頗著

聲績

## 宋　進士

鄉舉　據金陵志得四人其年莫大

大平興國八年　洪湛　上元人五歲能　王艮君　安石後

詩通判壽許州知容　戴俊卿

彬舒州凡五使西北　謝克仁

議邊要有文集十卷　李時雨　以鄉貢進

慶曆二年　李琮　獻甫江寧人寧　士上書乞擇宗室之

國軍推官知陽武江　賢者一人以係屬四

東轉運判官入爲大　海建炎以來言儲嗣

府卿轉刑部侍郎卒　者自時雨始

贈太師襄國公

張識

張諮

熈寧三年　葉祖洽　惇禮上元人狀元徽猷閣直學士墓在宣義鄉雁門山

熈寧九年　楊之道

巫鉞

江適道

潘溫之

元祐二年　李囘　子少愚琮恭知

政事封開國男

紹聖元年　許之美

崇寧二年　侍其瑀　江寧人崇寧三年監

司薦其瑀經行爲鄉閭所推詔乘驛赴闕

崇寧五年　刁湛　上元人太常博士

刁湜

余臯　祗若朝奉大夫

述古殿直學士

朱昇

蔡敦禮　上舍及第

秦濟　上舍及第

大觀元年

段拂　去塵中博學宏辭科紹興十一年以權禮部侍郎兼修撰十四年除起居舍人

尋除給事中

朱天任

大觀二年　霍廸

錢時敏　端修江寧人治詩同上舍出身秘書丞駕部員外郎

政和二年　俞迎　上元人

政和四年　陳鶚　上元人

政和五年　范同　擇善紹典十年以權吏部侍郎兼國

史院修撰十一年除內翰仍兼前官尋除叅知政事

政和八年才渭

朱端彥

朱霑潭州瀏陽令贈大中大夫

徐時升

宣和三年魏良臣

朱元佐

陳秉成

鍾大方 上元人

宣和六年

何若 任叟治詩秘書郎監察御史

秦梓 江寧人楚材治詩敷文閣待制兼侍讀舊志作三年誤

刁繹 湛子

洪鼎 湛子度支員外

郎直
史館

建炎
二年　錢周材　元英江寧人治詩著作郎直起居舍人龍圖閣直學士

吳梟　上元人

趙震　上元人

王絳

戴巽

李朝正

張士襄

紹興二年潘祺

紹興五年王綸上元人十歲能屬文崑山主簿監察御史與秦檜論事忤其意罷之後爲中書舍人兼侍讀累遷同知樞密院卒謚章敏

朱端稟

刁約湛子直史館

紹興八年巫孝立

鮑同

巫伋

紹興十二年秦熺伯陽江寧人本第一甲第一人以宰臣辭免充第二人爲係省試上十八合升甲與還第一人恩例官禮部侍郎少師

秦昌時

秦昌齡昌時弟

苗昌言

江漢

魏元宥江寧人治詩賦紹興十五年除著作佐郎

紹興十五年李珵上元人

周麟之茂振江寧人治春秋正字起居舍人後以翰林學士

監修國史

紹興十八年 魏師遜

鍾離松 江寧人

周彥

江賓王 國史院編修

鮑慎履 上元人

紹興二十一年 湯彥升

巫孝恭

莊震

紹興二十四年　秦塤　伯和江寧人第一甲第二人爲係兩府親屬依第一人恩例敷文閣直學士

秦焞

秦焴

葛掞　上元人

趙公彬

紹興二十七年　陳自修　德新上元人治詩賦乾道八年

除正字

隆興元年 國華 上元人

乾道二年 李機 上元人

乾道五年 朱用泰 上元人

劉煒

沈鑑

乾道八年 錢閎

夏融

淳熙五年 梁文恭

張衡

淳熙八年 張逢辰

吳柔勝 勝之溧水籍通判建康府秘閣修撰贈太師謚正肅

何掞 中興館閣錄作剡字揖臣江寧人治周禮嘉泰二年除著作郎明年知泰州舊志作五年誤

紹熙元年 劉樞

戴錡上元人

耿戩

紹興四年孔蓋上元人

李巖上元人

李大同上元人

李岩

李秀實

慶元五年汪瀛上元人

嘉泰二年卞伯光上元人

成瀍上元人

胡景愈上元人

鄭震

嘉泰三年衛熺

嘉定四年王晉上元人

鄭南上元人

王蘧

嘉定七年朱應龍上元人

吳淵道文柔勝子資政殿大學士封金陵公置學田七千二百

七十八畝見宋元志

潘彙征

李芥

嘉定十年　吳潛柔勝次子狀元紹定中知跋事封許國公有狀元坊在御街東錦繡坊見宋元志

陳塤上元人禮部第一人

嘉定十三年　楊成大　上元人

沈先庚　上元人

嘉定十五年　許思齊　上元人

紹定五年　元宋典　上元人

嘉熙二年　陳熙

陳仲謀

吳季申

淳祐元年　胡景龍　上元人

淳祐七年　吳琪　上元人

包秀實　舊志作紹

定五年課

陳晟

陳昂

淳祐十年洪心會上元人

寶祐元年吳慶龍

傅文振

潘孜

李壆琮孫屯田分司

舊志作景定二年課

寶祐四年吳景伯江寧人第

一甲十七人治賦

李仲龍江寧人第三甲二十六人治賦

朱大德江寧人第三甲二十八人治賦

吳璞

開慶元年

張震龍上元人

平天祐

朱紹遠上元人處曾孫舊志作元祐二

年誤

景定二年趙定上元人

朱明遠虞會孫

董烈知池州文清公

槐後

房元龍懷遠軍節

度判官

趙崇回句容知縣

楊公溥

元進士　舉人

大曆二年　李懋　壟孫二甲進士饒州路鄱陽縣丞　李桓　定孫至治三年中浙江省鄉試餘于州教授累官浙江副提舉以文鳴江東學者多傳之舊志作進士桓作旦並誤

至正七年　偰壽

嚴瑄

夏道山

趙旦　定孫年無考

## 明　進士　舉人　歲貢

洪武十七年　陳恭　江寧籍靜誠先生遇子工部尚書　朱　藩府紀善學士侍郎宗人　恩蔭

洪武二十六年　俞允　春秋魁見進士　王輗　僉事

洪武二十七年　俞允　江寧籍三甲第　乙瑄　禮部郎中

洪武二十九年　五十七人　陶鎔　江寧籍治易　顧爾行　主簿

李崇　江寧籍治詩　許紳　訓導

于源　上元籍治書

趙麒　江寧籍治易見題名記舊志作麟誤

建文元年　張欽　上元籍治詩

時泰　上元籍治易

王憲　江寧籍治易

李誠　江寧籍治易

王賓 江寧籍治詩知縣

吳觀 江寧籍治詩

任安 上元籍治詩

陳喜 江寧籍治詩舊志作善誤

方矩 上元籍治詩

何潤 上元籍治詩

王艮 上元籍治易

王仲壽 解元見進 王賓 見己卯舉人

永樂元年

士

暹讓江寧籍治易　李義知縣

曹廣見進士　鍾祥訓導

嚴璐上元籍治詩　顧鑑

謝濟江寧籍治詩　張祺見舉人

丁璿見進士　俞翼訓導

楊勉見進士

卞安江寧籍治詩

永樂二年　楊勉江寧籍三甲第三人庶吉士刑部侍　范進江寧籍

郎

李時勉江寧人江西安福籍三甲第三十四人國子監祭酒見鄉賢傳

王仲壽江寧籍治易三甲第一百七十四人叅政

丁璿仲衡上元籍治詩三甲第一百八十

一人庶吉士都御史

曹廣 江寧籍治易三甲第二百四十二人

永樂三年

趙益 見進士

唐經 江寧籍治易

沈維 江寧籍治易

盛衍 國子生見進士

張禎 江寧籍治詩舊志作禎誤

王舉 上元籍

邢端　江寧籍

唐彬　江寧籍知縣

永樂四年趙益　江寧籍治書三
陳恭　江寧籍

甲第一百三人

永樂六年
姜壽　上元籍治書

史循　見進士

劉璉　見進士

永樂九年盛衍　宗大江寧籍治
詩已丑中
會試因上
巡狩北京
至是廷試

永樂九年

二甲第三十八人

劉麟見進士

顧敬上元籍治詩

陽清見進士

王正江寧籍治易

虞祥上元籍治易

鄭璥江寧籍治書

劉瑄江寧籍治易評事

童文見進士

韓謙 江寧籍治詩

莊約 見進士

王本 上元籍治禮記

永樂十年

陽清 景廉上元籍治春秋會試第四人廷試二甲第二十二人主事

史循 公序江寧籍治詩三甲第二十六人

劉璉 宗華江寧籍治

詩三甲第五十六人御史戸部侍郎

永樂十二年

宋拯　亞魁見進士

謝鑑　上元籍治春秋

徐賁　江寧籍治書

任祖壽　見進士

張益　見進士

宋敏　江寧籍治書

吳名　見進士

劉敬　江寧籍治春秋

吳璘 見進士

徐琳 江寧籍治詩

姚堅 見進士

永樂十二年

劉麒 伯禎江寧籍治春秋二甲第三十人

朱鎔 上元籍治易

姚堅 子固江寧籍治春秋二甲第四十人

張益 士謙江寧籍治書三甲第十八人翰林院侍讀學士直內

閣死土木之難贈學士謚文僖見鄉賢傳

宋拯仕舉江寧籍治詩三甲第二十四人長史

童文彦章上元籍治詩三甲第九十八人員外郎

吳璘子玉江寧籍治

春秋三甲第二百四十七人

永樂十五年 施誠 江寧籍治詩

劉江 見進士

尹弼 見進士

徐榮 見進士

李輅 見進士

馮履 江寧籍治詩

永樂十六年 劉江 朝宗江寧籍治詩一甲第二人編修

以便養任九江學教授終長史

**莊約** 上元籍治詩二甲第四十六人庶吉士郎中

**徐榮** 上元籍治詩二甲第五十五人

永樂十八年

**馬麟** 江寧籍治春秋

**胡玉** 見進士

**鄧序** 江寧籍治春秋

孫熙江寧籍治易

達旺見進士

張文昌上元籍治書

王俊上元籍治易

陸彦上元籍治詩

邵㵂江寧籍治易

李素江寧籍治易

永樂十九年任祖壽上元籍治春秋三甲第十八

李軫 江寧籍 治易三
甲第五十八人

永樂二十一年
王政 上元籍 春秋魁
蔣勸 江寧籍 治禮記
陳昇 江寧籍
梅森 見進士
翟瑛 上元籍 治易
張祺 見進士

永樂二十二年
張祺 江寧籍 治詩三
甲第二十九人御史

尹弼上元籍治詩二甲第三十人布政使

吳名江寧籍治詩三甲第四十六人

達旺江寧籍治書三甲第六十人

徐晉江寧人句容籍三甲第八十五人知縣

胡玉上元籍治易三

甲第九十七人

宣德元年

黃榮 上元籍 治書　王芸 訓導

師政 江寧籍 治春秋　呂英 教諭

周永 上元籍 治詩　張仕琛 通判

吳善 上元籍 治易　沈顯榮 訓導

雷和 上元籍 治詩　胡鎔 訓導

徐復 江寧籍 治易　王璉 訓導

宣德四年

王琮 上元籍 治詩

顧誠 江寧籍 治春秋

李瑛 江寧籍 治禮記

沈慶　上元籍治易

王麟　上元籍教諭國子監丞四川山東提學僉事

田盛　江寧籍春秋魁

王艮　江寧籍治書

盛璟　江寧籍治詩

徐昱　彥昭江寧籍治易國子監助教

耿純　江寧籍治詩通

判

顧仲賢上元籍治

春秋訓導

談理江寧籍治詩訓導

吳政江寧籍治易

宣德八年梅森仲芳上元籍治禮記三甲第三十五人叅議

宣德十年陶元素見進士

孫本上元籍長史

正統元年　陶元素希文上元籍治易二甲第六人　穆祺

正統三年　鄒幹第十六人見進士　都讓

金祥州同知

張信上元籍治易第三十一人教諭　郝賢工部主事

施禮教諭

金潤伯玉上元籍治易第三十八人南安知府

陳禮江寧籍治易第四十六人

倪謙第五十四人見

進士

正統四年倪謙克讓上元籍治詩一甲第三人編修學士南禮部尚書贈太子少保諡文僖

鄒幹宗盛江寧籍治書三甲第二人太子

陳隆訓導

嚴傑王府紀善

少保禮部尚書

正統六年

莊鑑 江寧籍治易工部郎中

正統九年

王濬 文通上元籍易魁教授國子博士廣西提學僉事

沈琮 亞魁見進士

金鎬 上元籍治春秋通判

謝鎰 上元籍治春秋

羅濂江寧籍治書

孫達廣洋衛籍治春秋學正

任孜見進士

朱瑛上元籍治書

劉鑑江寧籍治詩

周欽見進士

潘鏞見進士

胡寬禮記魁見進士

陳鉞江寧籍治書

王惟善見進士

朱華見進士

童軒見進士

周清見進士

相廸上元籍知府

蔣敷順天鄉試見進士

正統十三年

沈琮廷器旗手衛籍治易二甲第三十六人御史四川僉事

蔣敷太醫院籍三甲第二人郎中

任孜江寧籍三甲第七十三人知府

景泰元年

吳維水軍右衛籍治禮記第九人訓導　高仁訓導

霍祐戶部主事

徐毅第十三人見進士　高敞　張翃評事

張寶訓導　張翔太僕丞俱文信益之子見

吳璘第十五八人見進士　楊達教諭

王文通舉人

俞誠上元籍治詩第六十六人華泰

石正江寧籍治禮記第一百五人蕭山教諭

夌文第一百十人見進士

管澄上元籍治詩第一百十二人舊志管作簡誤

胡正上元籍治書第一百六十一人訓導

王琮上元籍治春秋第一百六十五人教諭

羅瑄上元籍治易第一百六十八人按察司經歷

錢賓上元籍治春秋第一百七十一人

王璘第一百七十六人見進士

顧俊江寧籍治易第一百八十一人知縣

浦鏞第一百九十五人見進士

田斌順天鄉試見進士

景泰二年

吳璘廷潤上元籍治書二甲第十四人僉事

**朱華** 文輝，上元籍，治書，二甲第四十六人，僉事。

**童軒** 志昂，欽天監籍，治書，二甲第七十一人，南京禮部尚書，贈太子少保，見鄉賢傳。

**周欽** 守敬，水軍右衛籍，治禮記，三甲第四人，御史。

田斌錦衣衛籍三甲第七十九人

王惟善惟善鷹揚衛籍治春秋三甲第八十五人行人

潘鏞克鳴上元籍治詩三甲第八十六人知府

周清本澄無錫籍治書三甲第一百十三

人御史

景泰四年

吳理治春秋第六人

潘傑第八人見進士

李應禎太醫院籍名珏以字行治書第九人中書舍人南太僕少卿

羅寧水軍右衛籍治禮記第十人

姚恒上元籍治書第

十四人

鄒和第十九人見進士

雍熙豹韜左衛籍治詩第二十人知州

江傑江寧籍治詩第二十七人知縣

鄧震上元籍治春秋第二十八人

莊澈第三十一人見

進士
劉瑀　金吾後衛籍治詩第三十二人知縣
方璟　上元籍治詩第四十八人知州
羅淮　第五十二人見
進士
龍晉　第六十五人見
進士
沈瓚　上元籍治春秋

第六十五人知州

**羅剛**留守後衛籍治書第七十九人知州

**葛蕡**上元籍第八十四人

**羅麟**仲祥江寧籍治易第九十六人中書舍人廣東參議

**金紳**第一百九人見進士

徐禮上元籍治詩第一百十人知州

強英上元籍治書第一百二十一人教諭

朱貞第一百二十八人見進士

侯廣文都江寧籍治詩第一百三十一人府同知

高敬上元籍治易第

一百四十六人知縣

林洪上元籍治書第一百五十二人教諭

蔡琮水軍左衛籍治詩第一百六十八人知縣

盧雍第一百八十人見進士

施靖上元籍治書第一百九十二人翰林

院侍詔

費鏞留守左衛籍治禮記第一百九十五

人訓導

蔣敵順天鄉試見進士

景泰五年

浦鏞廷用上元籍治易二甲第三十四人

知府

龍晉遵敘水軍右衛籍治詩二甲第一百

十七人知府

潘傑 士英上元籍治易三甲第二人郎中

徐毅 士弘上元籍治書三甲第四人僉事

胡寬 有容天策衛籍治禮記二甲第二十四人御史

羅淮 潤民江寧籍治書二甲第五十三人

參政

蔣敵太醫院籍三甲第八十八人太僕卿

王璘廷秀儀性所籍治書三甲第一百四十三人副使

金紳縉卿上元籍鄉貢潤子治書三甲第一百五十七人庶吉士刑科給事中南刑

部右侍郎

景泰七年

貝春江寧籍易魁知縣

李慶亞魁見進士

邵傑江寧籍治春秋知縣舊志邵作部誤

沈鍾見進士

王徽見進士

王玉錦衣衛籍治書

鮑墠上元籍治書知

縣

鄭禮中夫江寧籍治易襄陽府通判南安知府

周昌裔太醫院籍治春秋知州

徐廉錦衣衛籍治書

甯璉太醫院籍治易通判

周源見進士

宋讓惟和江寧籍治書單縣知縣

王浩見進士

徐曦江寧籍治詩教諭

曾黻水軍右衛籍治詩知縣

趙智明遠江寧籍治春秋教諭

李旻景陽江寧籍治

詩南道御史雲南僉事

天順元年

李慶 崇善江寧人新昌籍治易二甲第八人

丁鏞 貢人監成化戊子鄉舉巳丑進士

童鏞 教諭

朱貞 惟正旗手衛籍治書二甲第四十八人阿陽磁州知州四川叅議

張珍 訓導

華彥高

方宜

顧言 見舉人

鄒和 允達上元籍治書二甲第八十四人

丁瑄

知州

**莊澈**瑩中江寧籍鄉貢鑑子治書三甲第三十二人
知州

**淩文**從周上元籍治易三甲第八十六人
湖廣參議

**盧雍**廷佐江寧籍治書三甲第一百二十三人湖廣左布政使

天順三年

任忱江陰衛籍治春秋第十人

李穆虎賁左衛籍治詩第十八人

易謙江寧籍治春秋第二十八人長史

李秉東第三十三人見進士

徐完第三十四人見進士

歐陽榮江寧籍治詩第三十九人知府

婁俊金吾前衛籍治禮記第六十七人

莊琳旗手衛籍治書第七十三人

金澤第七十七人見進士

唐寬第八十人見進士

任讓錦衣衛籍治詩第八十七人

顧鑑江寧籍治書第八十九人教諭

童紳江陰衛籍治詩第九十人

張福江寧籍治禮記第一百十一人

顧言順天鄉試禮記魁教授

天順四年王徽尚文錦衣衛籍

丁丑中會試至是廷試治詩二甲第三人

禮科給事中陝西左

叅議

沈鍾仲律上元籍治書二甲第三十六人

南禮部主事山西提學僉事副使

任彦常解元見進

士

張華上元籍治書第二十九人知州

徐震上元籍治易第三十九人知州

陳鏡明遠太醫院籍治書第四十二人郎陽丹稜知縣武昌通判

李昌隆文盛江寧

籍治書第五十二人寶慶府同知

蘇鏞留守前衛籍治書第五十四人敎諭

李昊第七十八人見進士

陳瓛江寧籍治書第八十五人敎諭

陳紋第八十八人見進士

張瑛江寧籍治書第九十五人河間府同知

沈浩順天鄉試見進士

孫義順天鄉試見進士

倪岳順天鄉試見進士

天順八年

周源德淵上元籍治書二甲第九人員外

郎

倪岳舜咨上元籍文僖公謙子治詩二甲第二十八人吏部尚書贈少保謚文毅見鄉賢傳

孫義太醫院籍二甲第四十三人監運司使

翟瑄太醫院籍二甲

第七十八人

張玘錦衣衛籍三甲

第三十二人按察使

成化元年

俞黼江寧籍春秋魁　顧謙

知縣　姚玘

蔣誼第十五人見進士　徐信克誠江寧籍行都司紀善

陶淵江寧籍治書第二十八人　戴景隆縣丞

錢啓衛知事

吳文度第三十八人　嚴瑛進判

見進士　李春志仁上元籍建

陳紀府軍右衛籍治　安縣丞

書第六十人　王洪宗大江寧籍氾

伊乘第八十一人見　水教諭

進士　陸忠彥誠江寧籍高

章元應留守左衛　唐州判官

籍治詩第八十七人　顧謙

吳俊豹韜衛籍治春　劉源知縣

秋第九十六人　沈庠成化戊子順天

李禎錦衣衛籍治書　舉人辛丑進士

第一百一人知縣　陸秀世芳上元籍臨
陳鋼堅遠太醫院籍　海訓導桐教諭武
治詩第一百二十七　城知縣
人黔陽知縣長沙通　陸厚州判官
翟瑛太醫院籍　判　曹定訓導
二甲第二十八人　樊誠衛經歷
徐完用美昱子治易　郭晉
二甲第三十七人御　馮謙教諭
史江西僉事　鄭思誠
唐寬夫上元籍治　梁堅推官

詩三甲第八十四人知州

**陳鋼** 有常江寧籍王府審理

**王浩** 德宏上元籍治易三甲第九十人庶吉士御史

**金澤** 德宏江寧籍治書三甲第二百四十六人南京右都御史

**蔣誼** 宗誼太醫院籍治書三甲第二百四

十九人金
華推官南
道御
史
成化
四年
鄧存德第二
人見
進
士
俞經第七人
見進士
朱雁水軍左
衛籍治
詩第三十
人
沈鎧第二十
四人見
進
士
魯昂第三十
二人見

進士
俞雄第四十三人見
進士
金源第四十八人見
進士
丁鏞第八十一人見
進士
王欽第一百七人見
進士
張鑑第一百九人

姚源 上元籍治書第一百十三人

莊溥 第一百十五人見進士

顧景昌 文昭江寧籍言子習禮記第一百三十人贛州知州

沈庠 順天鄉試見進士

吳珵 順天鄉試見進士

成化五年　李秉東德夫江寧　士籍治詩二甲第五人

吳謙上元籍治易

郎中

吳珵江寧人順天大典籍二甲第二十七人戶部郎中

鄧存德新之欽天監籍治詩二甲第三十五人知州

李昊志遠上元籍治

書三甲第六十五人庶吉士檢討改南禮科給事中浙江左叅議

丁鏞鳳儀上元籍治書三甲第一百二十二人南刑部主事興化府知府

成化七年

薛端士莊江寧籍教諭南國子博士岷府

長史

張陛　留守左衛籍推

官

曹玉　見進士

俞綸　留守左衛籍府

同知

朱福　見進士

王進　見進士

姚昺　見進士

黄謙　見進士

沈景時美江寧籍長史

成化八年金源大本上元籍治書二甲第十八人知州

任彥常吉夫江陰衛籍治詩二甲第二十九人南戶部主事福建提學僉事

沈鎧仲威上元籍治書二甲第六十三人

主事

**黄謙** 撝之江寧籍治易二甲第六十九人主事罷歸以醫起爲太醫院使

**吳文度** 憲之江寧籍治春秋三甲第二十五人南戶部尚書

**朱福** 天錫光祿寺籍治易三甲第七十五

成化十年人

徐欽第四十四人見

進士

王鑨犧牲所籍治書

第二十三人

王勛宗堯江寧籍治詩第四十八人甃林

知州

王朴上元籍治易第

六十一人

徐濂欽天監籍治易

第七十五人

曾達 衛籍治詩第八十八人

王謙 江浦縣籍治書第九十八人通判

陳榮 上元籍治易第一百四十知縣

姚黼 上元籍治易第一百二十二人知府

董宣 繼善欽天監籍

成化十一年

俞經 勉誠留守左衛

籍治書二甲第五十　青田縣訓導
四人　知府

姚昺　懋明錦衣衛籍　治易二甲第七十六人南禮部主事知府

成化十三年

芮鑑　溧陽籍治春秋　賀主一　訓導　第四人府同知

李用文　衛籍治書　第九人監運司同知

林芳　江寧籍復姓吳

治書第十二人莒州知州

沈智衛籍治書第二十一人

沈希達上元籍復姓朱治書第二十五人通判

周郁衛籍治詩第三十七人

陳言第五十七人見

進士
梅純第九十三人見進士
朱大用衛籍治詩第一百九人推官
施堯臣上元籍靖子治書第一百十二人通判
徐琨第一百二十八人見進士

成化十四年　**王欽** 敬之上元籍治書二甲第十五人知府　**楊鐸** 縣丞

**伊乘** 德載上元籍治易二甲第三十九人南刑部主事四川僉事

**曹玉** 德潤江寧籍治詩三甲第九十人副使

王進 以正上元籍治易三甲第一百四十六人知縣

陳紋 廷章上元籍治書三甲第二百十一人推官

張鑑 明甫府軍衛籍治易三甲第二百三十六人郎中

成化十一年

蔣浤 第十九人見進 陳義 刑部照磨

士

喬衍衛籍治春秋第二十四人

劉子順衛籍治書第二十六人

潘珩重玉上元籍治易第二十八人傑子九江南康袁州三府同知

金麒壽第五十六

人見進士

徐雲上元籍震弟治易七十九人

湯佐衛籍治詩弟八十八人

梁德宏金吾衛籍治詩第九十人

熊宗第九十六人見進士

王敞第一百六人見

進士

**童瑾** 衛籍治詩第一百十六人

**鄧澤** 汝霖江寧籍治詩第一百二十四人

震子通判

**吳彥華** 第一百二十九人見進士

**胡璟** 希宗第一百三十人見進士

錢鑑 江寧籍治書第一百三十一人

王世禎 衛籍治詩第一百三十二人

倪阜 順天鄉試見進士

楊茂 訓導

成化十七年

胡璟 希宋江寧籍治詩二甲第五人知縣

吳彥華 汝和畱守後衛籍治易二甲第九十一人戶部郎中

浙江左布政

**沈庠**尚倫上元籍治易由貢中戊子順天鄉試二甲第九十二人貴州提學副使

**王敞**漢英錦衣衛籍治詩會試第三人二甲第九十五人兵部尚書太子少保

**梅純**一之孝陵衛籍

治書三甲第九十七人知縣後襲指揮使至中都留守

熊宗德天申錦衣籍治書三甲第一百十九人知府

徐欽錦衣衛籍江寧

成化十九年

馬瓛第十人見進士

甘應奎文宿江寧

曾瑛龍江右衛籍治易第五十七人都督

籍教諭

府經歷

潘絡第六十二人見

進士

吳濟太醫院籍治詩第六十五人

胡拱第七十七人見

進士

傅綬豹韜左衛籍治易第八十人

楊溥第八十一人見

進士

夏聰上元籍治易第

九十五人

趙進籍治易第

一百一人

張志淳雲南解元

見進士

成化二十年張志淳江寧人金齒衛籍二甲第四人戶部左侍郎　史昊京衛經歷

馬矙公信錦衣
衣籍治
易二甲第
二十九人
員外
郎
俞雄文偉留
守前衛
桂楊州學
正中會試
三甲第十
人太常寺
丞
莊溥彥博江
寧籍治
書三甲第
一百六十
六人宗人
府經歷

陳言節之上元籍治易二甲第一百八十三人

潘絡克理欽天監籍治禮記三甲第一百九十八人主事

成化二十二年

陳鎬解元見進士

張琮第十六人見進士

鄒禮以和江寧籍治

禮記第十八人知縣

徐夢麒 吉生江寧籍治易第二十七人教諭撫寧知縣

陳欽 鎬弟第三十七人見進士

錢灝 第七十一人見進士

顧潤 上元籍治書第二十五人教諭

鄭允宣第九十十八人見人見進十

張紡江浦籍瑄子治易第一百十四人教諭

井康德裕江寧籍治詩第一百十五人教諭

郭蒙上元籍治易第一百二十四人

徐繼宗 江寧籍治書第一百三十一人暘谷知縣

王惟德 教諭

成化二十三年 陳欽 亮之欽天監籍治書二甲第七八人廣東提學副使見鄉賢傳

陳鎬 宗之欽天監籍治書二甲第十四人巡撫副都御史鄉賢

賢傳

張贊錦衣衛上元僉事

倪阜舜薰上元籍文信公謙次子治易二甲第四十一人庶吉士四川右布政使

曾昂廷瞻江寧籍治詩三甲第十六人兵科給事中

蔣浤 惟深上元籍治書會試第二人廷試三甲一百七十七人南吏部主事江西左參議

錢灝 景宗留守後衛籍治書三甲第二百二十九人參議

弘治二年

淩雲翰 第六人見進士

龍雨 民望江寧籍訓導教諭

童時 尚書軒子知州

王階晉生江寧籍治詩第二十五人知縣　倪霦文懿岳子知府

王恂誠之順導教諭　金述右都御史澤子郎中

王彪羽林衛籍治詩第三十八人府同知　湯景賢教諭

楊天錫

王翰廷用江寧籍治書第四十二人通判　許紘教諭

錢禎

羅鳳第四十七人見　李儒訓導

進士　童鋏

陳英上元籍治詩第五十八人教授　王緒弘治壬子舉人

弘毅弘治甲子順天

王顏廷表江寧籍治書第五十九人益府長史　舉人

張綬訓導

吳章文煥江寧籍

陳玠上元籍治春秋第一百十一人知縣　藍英弘治甲子舉人

李問弘治壬子舉人

周晃錦衣衛籍治易第一百十四人知州　曾達

黃瑄

施楙上元籍治詩第一百十五人知縣　徐珍立之江寧籍[illegible]

弟孟縣教諭

李禎錦衣籍治書第　錢鉞訓導

一百十六人

弘治三年

**胡拱** 維辰府軍左衛籍治書二甲第三十六人參議

**張琮** 廷獻江寧籍文僖公益從孫治易二甲第六十人南京右都御史

**徐琏** 信之江寧籍完從子

**朱鸞** 訓導

**王璟** 通判

**任德** 仲修衛經歷

**杜綱** 教諭

**劉瑄** 訓導

**楊正** 教諭

**趙智** 訓導

**周賢** 衛經歷

**沈綸**

十四人戸部主事浙江叅議

弘治五年

吳大有第三人見進士

龍霓第八人見進士

李熙第六十人見士
士

李儀第六十一人見進士

丁容上元籍治易第

七十四人瘠孫知縣

劉麟 第七十五人見進士

張宏 第七十六人見進士

李重 第八十人見進士

邵清 士廉江寧籍治易第八十二人教諭御史按察僉事見鄉

賢傳

齊貴營繕所籍治易第九十一人知縣

陳謐上元籍治書第九十八人知縣

鄭諫第九十九人見進士

王緒紹夫江寧籍治易第一百十八人知府

李問上元籍治易第一百二十七人國子博士

殷鏊第一百三十五人見進士

弘治六年

鄭允宣嘉言上元籍治禮記二甲第四十九人參議

李儀公著上元籍治易三甲第一百三十三人

弘治八年

顧璘第十四人見進士

鄭瓛第三十人見進士

高節第七十四人見進士

何宗伊龍江衛籍治易第七十五人知府

梁材第七十九人見進士

范邦彥時望江寧籍治書第九十三人保寧教授

林元吉龍江右衛籍治春秋第一百三人知州

蔣達第一百六人見進士

祝亨 時泰江寧籍治書第一百七人知府

宇賓 龍虎衛籍治易第一百十七人長史

袁經 府軍衛籍治易第一百三十人

金逵 浙江亞魁見進士

弘治九年 吳大有 元亨上元籍僉事麟子治書二甲第三十四人叅議

高節介夫上元籍治詩二甲第三十九人

參議

龍霓致仁牧馬所籍治書會試第二人廷試二甲第五十二人

僉事

金逵江寧籍都御史澤之子三甲第十九人

僉事

**李熙** 師文上元籍癸議昊子治書三甲第七十二人將樂知縣南道御史浙江按察副使

**羅鳳** 子文水軍右衛籍治書三甲第一百三十二人南道御史石阡府知府

**楊溥** 靜夫留守後衛

籍治詩三甲第一百四十二人知縣

顧璘華玉上元籍治易三甲第一百五十五人南刑部尚書

劉麟元瑞廣洋衛籍治詩三甲第一百六十一人工部尚書贈太子少保謚清惠

金麒壽 仁甫上元籍侍郎紳子治書三甲第一百七十六人

弘治十二年

李璞 龍江右衛籍治易第九人知縣

趙顯榮 衛籍治書第十人國子監丞

姚隆 第十七人見進士

劉楷衛籍治禮記第二十六人

王本立之江寧籍治書第四十三人國子監助教

顧欽上元籍潤子治易第八十三人知州

史艮佐第八十五人見進士

許文顯淳夫江寧

籍治書第九十三人

華綸廷言江寧籍治易第一百九人知縣

易蓁第一百十一人見進士

景暘第一百十七人見進士

金鏡上元籍治易一百二十七人知縣

陳綸上元籍治易一

百三十七人教諭

弘治十二年 張宏 子容神策衛籍治書二甲第三十九人主事

史良佐 禹臣太醫院籍治易三甲第七十八人御史副使

梁材 大用金吾右衛籍三甲第八十五人戶部尚書贈太子太

保謚端肅

鄭瓛信鄉驍騎右衛籍治書三甲第八十八人新喻知縣山東運使

弘治十四年

張偉府軍衛籍治詩第十五人知縣

王介第二十八人見進士

吳伯深江陰衛籍治詩第三十八人知

縣

陳沂 第四十八人見
進士

金賢 第六十六人見
進士

邵鏞 第七十一人見
進士

金鼎 上元籍治易第七十五人
推官

劉弼 第七十七人見

進士

錢禎府軍衛籍治詩第九十二人

李文泮錦衣衛籍禎子治書第九十三人知縣

羅興江寧籍麟子治易第一百一人

李璨上元籍治易第一百十七人長史

弘治十五年 殷鏊 丈濟羽林左衛籍治詩二甲第九十三人僉事

劉弼 邦直錦衣衛籍治書三甲第十九人知府

凌雲翰 伯遠上元籍參議文子治易三甲第九十七人德化知縣金州知州

姚隆　原學留守後衛籍治詩三甲第一百三十八人新昌知縣荆州府知府

金賢　士希江寧籍治易三甲第一百五十九人給事中延平府知府

弘治十七年

王常　第三人見進士

黄琮　第十人見進士

楊翱　第十二人見進士

士

周金第十七人見進士

藍英本和江寧籍治易第十八人金華府推官

張翊上元籍治書第三十人

莊簡旗手衛籍林子治書第五十七人提

舉

沈環第八十四人見進士

柴虞驍騎衛籍治詩第八十九人知縣

楊謙衛籍治詩第九十八人

陳詢上元籍治書第一百七人教諭

吳瑛衛籍治詩第一

百二十四人

羅仁上元籍治易第一百二十五人教諭

俞徽留守衛籍綸子治書第一百二十八人

王漢江寧籍治書第一百三十三人

強毅致遠上元籍鄉貢英子順天鄉試推

弘治十八年

沈環　上元籍，復姓朱。官鄉貢。希達子。治書。二甲第二十九人。南戶部郎中。

王常　欽佩錦衣衛。治易。三甲第八十六人。叅議徽子。庶吉士。南吏部主事。河南提學副使。太僕寺少卿。

黃琮　元質。上元籍。治

詩三甲第一百五十人長史

# 江寧府志卷之二十

## 科貢中

正德二年

李漢欽天監籍治易第十二人　李儒承憲江寧籍定海教諭　倪廣文毅岳孫通判

倪澤文信謙孫禮部

何鉞第十五人見進士　王錦廷美江寧籍主事

王壽仲仁江寧籍

劉宗啓留守衞籍　楊欽訓導

治易第一十六人知縣　王鑾見正德辛未進士

吳富　宋顯忠訓導

十四人　蕭雍

伊伯熊上元籍乘　潘濼

之子治易第五十二　何景哲訓導

人府同知　宋熊王府教授

周南文化羽林右衞　劉玠府經歷

籍治詩第八十七人　薛萬鍾

知州　邢官訓導

羅輅第九十五人見　錢澍

進士　朱華教授

陸堊通之上元籍治　周倫

易第一百十七人安　李景生

鄉知縣荊門州知州　朱昕訓導

王浩府軍衛籍治易第一百三十人知縣　紀達訓導

吳珍教諭

正德二年　景暘伯時上元籍治易一甲第二人翰林院編修司業左中允　陸紘訓導

姚承學

王淪訓導

鄭諫信之江寧籍治詩二甲第二十六人運使　呂華訓導

傅巖訓導

陸庸訓導

周金子庚府軍右衛籍治詩二甲第四十人戶部尚書贈太子太保謚襄敏

鄒鏞伯倫羽林右衛籍治書二甲等六十一人副使

羅軨質甫江寧籍鄉貢麟子治易三甲第

王謹

趙智

周賢

沈綸

王釗訓導

夏勛訓導

鄔經

五人許事
仕至大理
寺少
卿
易蓁士美錦
衣衛籍
治書三甲
第一百五
十八
知府
蔣達文孚留
守後衛
籍治詩三
甲第二百
十四人嘉
興知縣南
道御史宸
濠叛以死
勤事贈光
祿寺少卿

正德五年

童楷第九人見進士

趙守高淳籍治詩第三十二人教授

王鑾第三十九人見進士

蔣嶽留守衞籍達子治詩第四十二人知縣

韓怀孝林衞籍治詩第五十四人

李葵上元籍璨子治易第六十四人

張明儒錦衣衛籍治易第六十六人知州

王以旂第八十四人見進士

張烈右軍都督府籍治易第九十一人郎中

劉紀旗手衛籍治易第一百一人府同知

正德六年李重元任金吾後衛籍治詩二甲第十八人戶部主事江西副使

王鑾汝和錦衣衛籍治易二甲第七十八人吏部郎中

王介守之留守前衛籍治易二甲第八十九人僉事

何鉞勲伯江寧籍治詩三甲第十二人御史知府

王以旂士招江寧籍治書三甲第四十八人兵部尚書贈太保謚襄敏

正德八年

尹賢太醫院籍治易第三人知縣

顧璨第十九人見進士

何遵第二十六人主事見進士

沈觀上元籍庠孫治詩第六十人知縣

陳府第六十二人見進士

徐九經一之江寧籍完子治易第八十三人遂昌知縣

徐九疇錫之江寧籍完子治易第九十五人鄒平知縣

陳紹宗江寧籍治書第一百四人

王宗江寧籍治詩第一百二十七人

鄭琦江寧籍治詩第一百三十二人知州

李僑承高江寧籍旻之子治詩第一百三十五人

正德九年

顧璨英玉上元籍璘從弟治易二甲第七十人南兵部郎中河南副使

雷應龍上元蒙化衛籍雲南魁御史

何遵 孟循江寧籍治易三甲第二百四十八人工部主事建言廷杖卒贈尚寶司卿

童楷 養正上元籍鄉貢文孫治易三甲第二百五十人教授

正德十一年

鄭濂 第三十三人見進士

**錢文** 府軍衛籍禎子治詩第五十四人通判

**楊森** 衛籍治詩第五十六人通判

**章秀** 上元籍治易第七十二人知縣

**丁暘** 錦衣衛籍治易第八十四人教諭

**江銳** 進之江寧籍治

易第一百二十四人

府同知

江鎮定之江寧籍中順天鄉試通判

正德十一年

陳沂魯南太醫院籍鄉貢鋼子治詩二甲第五十七人翰林院庶吉士編脩侍講山西行太僕寺卿

楊翙雲鳳江寧籍治

易三甲第十八人長史

正德十四年

沈恩復之錦衣衛籍治易第七十九人知縣

司馬泰第八十七人見進士

王堂時升上元籍濬孫治易第一百一人

吳惠仁夫江寧籍治詩第一百八人知縣

王文光有孚留守

衛籍治易第一百十

七人御史知府

蔣繼蕃巽之上元

籍治易第一百二十

一人

正德十六年　趙兌上元籍內江人

參政

嘉靖元年　汪鑾拱辰籍治易第十六人知縣　鄔經　何衢推官　何世守贈少卿遵子員外郎

金清第二十三人見李景星張悊右都御史
進士朱瑤上元籍鄉貢希琮子通判
鄭淮第七十二人見達子教諭梁山端肅材子
進士周仕襄毅金子
李觀第一百一人復苑馬卿
姓甘見進士
童顏豹韜左衛籍治
詩第一百十人教諭
張偉上元籍治詩第
一百三十一人

張合雲南解元見進士

嘉靖二年

司馬泰魯瞻江寧縣籍治易二甲第八十四人御史貴州副使

許仲艮直江寧籍教諭

孫鏜廷振江寧籍通判

鄭淮惟東上元籍治書二甲第九十五人知府

金軒錦衣衛籍學正

管景子山上元籍江西布政司撿校

陳府孔脩上元籍治詩中庚辰會試至是

廷試三甲
第六十九
人南道
御史
鄭濂師周江
寧籍鄉
貢禮孫治
易三甲第
二百六十
一人行人
嘉靖御史湖
四年廣副使

陳鳳第七人見進士 馮鎮知縣
金大章子有上元籍賢子治易第十六人 唐儒教諭
董林欽天監籍訓導
朱珥上元籍瑤弟推官
伊敏生第二十六

人見進士　程宏教諭
金本陶錫之府軍劉陞知州
後衛籍治
易第二十
八人府同
知
楊成第四十四人見
進士
夏敵伯高上元籍治
易第六十
人福州府
通判
許穀第六十七人見

進士

**葉聯芳** 時達畱守後衛籍治易第一百七人知縣

**沈越** 第一百二十五人見進士

**任良幹** 廣西護衛籍上元人教授

**王心** 第二十一人見進士

**劉雨** 潤之

進士

**張岱**

張鐸第五十一人見進士

張誥龍驤衛籍治書第六十一人

盧璧第八十四人見進士

高遠思延江寧籍治易第一百五人府同知

謝少南第一百人

八人見進士

張恕 惟行江寧籍琮子治易第一百二十二人僉事

金淳 仁夫上元籍清

嘉靖八年

金清 廉夫上元籍治詩三甲第一百六十八人御史參政

第治詩第一百三十四人府同知

宋綱 學正

趙綸 教諭

王庭 訓導

嘉靖十年

殷邁 第三十八人見進士

盛箴 教諭

薛玉林 清之江寧

余光 第五十人見進士

籍鄉貢端子治書堵陽王府教授

鄭河 第五十九人見進士

雍逵 訓導

葛清 惟元孝陵衛籍治易第七十七人教諭

童曉 升之豹韜衛籍治詩第七十八人光州知州長史

宋溥元博錦衣衛籍治易第一百六人樂知縣

王可大第一百十九人見進士

金翰受夫上元籍治詩第一百二十一人

湯輔之伊龍江衛籍治書第一百二十四八新安教諭

何鎬清甫上元籍治易第一百二十九人知南豐光澤連江古田四縣

嘉靖十一年

謝少南應午上元籍治易二甲第十六人主事改御史又改司直郎檢討終布政

張晃訓導

黃鋭教諭

馬應龍承道江寧籍選貢知縣

楊成全卿留守中衛籍治詩二甲第七十

王之訓府軍衛籍浩子選貢州判

人南兵部主事嚴州府知府

**余光**晦之江寧籍治書三甲第一人評事御史

**沈越**中甫江寧縣人治易三甲第九十四人知羅田平江二縣選御史忤旨謫開州判官德安同知

**孫瑆**教諭

**夏仲**州同知

**黃炎杲**見癸卯舉人

**劉逵**達夫國子學録

伊敏生子蒙上元籍僉事乘孫治易中巳丑會試至是廷試三甲第一百七十五人知縣御史

張合懋觀江甯人雲南永昌籍戸部侍郎志淳子二甲第六人歷戸兵吏部主事員外湖廣副使

嘉靖
十三年

王之省府軍衛籍劉勳
浩子治易第六人知張祥
縣

陳芹子野羽林衛籍治易第九十四人崇仁教諭知奉新寧鄉二縣

張鉞江浦籍瑄子治易第一百一人知縣

陳時萬孟錫太醫

院籍沂子
治詩第一
百二十八
人淄州知

嘉靖十四年

許穀 仲貽上元籍治
書會元二
甲第十一
人戶部主
事歷禮部
吏部南太
常少卿尚
寶
卿

縣

金沂 源夫江寧籍知
縣

凌雲 江寧籍知縣

吳卿

馬汝揆 見壬子舉人

陳鳳 元舉留守後衛
籍治詩三
甲第五十

嘉靖十六年

廖文光 上元籍郎中
人刑部主
事陝西僉事

事

甘節 府軍右衛籍治易第三十四人通判　胡俸 教諭　周瓛 王府教授

陸彬 衛籍治易第五十九人知縣　金鐘 錦衣衛籍軒弟教諭

林一鳳 第一百十四人見進士　王鼐 訓導　張鸞

張祥 山東鄉試見進士　林桂芳

嘉靖十七年

盧璧 國賢羽林右衛籍治詩二甲第三十三人南戶部主事知　殷遷 在亳侍郎邁兄

訓導

華晃 江寧籍訓導

府苑馬少卿

**陸銘** 自新上元籍治易台州府訓導

**王心** 龍江右衛籍三甲第二百十九人主事

**李爵** 訓導

**伊伯羔** 上元籍伯熊弟訓導

**張鏜** 訓導

嘉靖十九年

**阮臯** 第七十七人見進士

**溫伯珙** 江寧籍訓導

**顏芳** 世馨府軍右衛籍治書第八十三人

**周櫄**

**王舉**

知縣

童登訓導

朱文質卿上元籍治易第九十一人知縣

梅恒孝陵衛籍純子治書第一百二十九人知縣

周儒汝珍上元籍治書第一百三十四人知州

路鏜伯第一百二

十五人見進士

嘉靖二十年

林一鳳 伯羽龍江右衛籍復姓刑治書一甲第三人翰林院編脩叅政

邰應鳳 江寧籍清子

蔡銳 見丙午舉人

顧嶼 懋涵上元籍尚書璘子

殷邁 時訓貫江寧縣人治易二甲第六十四人南京禮部右侍郎掌祭酒事

符高 訓導

**張祥** 元吉戶錦衣衛籍治易三甲第五十七人陝西副使苑馬卿

**阮昱** 德載江寧籍治易三甲第六十八人南京兵部郎中江西僉事

**路伯鐘** 元振龍江右衛籍治書三甲第一百十三人行人

張鐸世鳴留守後衛籍治易三甲第一百六十五人庶吉士御史兵備副使

嘉靖二十二年

馬汝僑誠履錦衣衛籍治易第六十三人桂東知縣

張思

蒲璧

沈九思顧貞上元縣籍治書第六十九人

盛時春啓元上元籍治易第九十四人知縣太僕寺丞

吳士進汝抑錦衣衛籍治禮記第一百九人曹州知州

黃甲第一百三十四人見進士

黃炎杲中順天鄉試

向爨長史

甘觀府軍右衛籍治易三甲第六十三人評事　徐鳴輿朝重江寧籍治易鄉貢夢麟子

宋欽

鄭河師程江寧籍副使濂弟治易三甲第一百三十五人岳州府推官

嘉靖二十五年

梁楹汝植府軍後衛籍治詩第九十四人　張志惟立江寧籍都御史琮子

知縣知州**鄭重**

府同知荆府長史**周儼**

**蔡銳**柳之留守左衛**李傑**籍治易第一百七人**張懷**河南通許知縣改杭州學教授襄府紀善

**潘鵠**立卿上元籍治易第一百二十人雲南麗江府同知

**李种**嘉樹金吾後衛

籍重子治詩第一百二十七人府同知

**薛盤**儆伯府軍左衛籍治詩第一百三十二人

**蔣山**圻鎮太醫院籍治書第一百三十三人通判

**劉安節**承道江寧籍治易第一百三十

四人南工部員外郎

戴愬天長學見進士

嘉靖二十六年　戴愬江陰衛籍知府

嘉靖二十八年

俞璉衛籍治詩第二十八人推官

宇澤羽林左衛籍

朱陳

周珊龍虎左衛籍治易第三十八人知縣

何汝健第八十二人見進士

皮豹第九十人見進

士

朱潤身 第一百三人見進士

呂鐸 衛籍治詩第一百二十人南戶部郎

嘉靖二十九年 黃甲 首卿上元籍治易二甲第三十一人南吏部主事

潘壽

馬羽 教授

李深 子靜江寧籍台戶

嘉靖三十一年 楊璧 上元籍治易第十五人通判

州訓導

劉陛 教諭

馬汝徯 誠望錦衣衛籍治易第十九人慶元知縣

胡汝嘉 第二十六人見進士

鄭守矩 汝方驍騎右衛籍子治書第三十一人南城教諭部陽知縣

柳旦 籍治易第

四十人

尹繼臯籍治詩第九十一人知縣

嘉靖三十二年

何汝健留守左衛籍治詩二甲第二十九人知州浙江叅議

張瀾教諭

胡汝嘉懋禮鷹揚衛籍治詩二甲第五十七人翰林院庶吉士編脩副使

王可大 元簡錦衣衛籍郎中鑾子治易二甲第八十三人刑部主事歷台福瓊廉四府知府

嘉靖三十四年

周易 惟時孝陵衛籍治書第三十七人府同知

王肖徵 殷卿錦衣衛籍可大子治易第

四十五人

**楊家相** 第四十九人見進士

**陳時伸** 元晉太醫院籍治易第五十七人府同知

**姚汝循** 第五十九人見進士

**鄭守益** 汝時驍騎衛籍獻子治書第

十三人臨江府推官

**朱文益** 子謙衛籍治禮記第七十一人雲南曲靖知府

**劉桂** 聯芳上元籍治易第八十二人知縣

**金鸞** 應祥儒籍治易第一百十五人知縣

**段文億** 上元人雲南昆明籍教諭

鄭元年上元人雲南楊林所籍通判

嘉靖三十五年 姚汝循欽卿錦衣衛籍治易三甲第六十四人河南杞縣知縣大名府知府

靳儒

嘉靖三十七年 李鑌孟堅上元籍治易第十五人

周維甫

邵于盤

吳之儒道卿江寧籍治禮記第七十二

人通判

叢文蔚第四十人見進士

張來鳳養梧府軍衛籍治書第五十八人敎諭

李逢陽第六十九人見進士

黃尚質宗商水軍左衛籍治易第八十

七人學正國子監博士峽江知縣饒州府通判

金昺承光江寧籍逵孫治易第一百二十人

王惠上元人廣西桂林中衛籍教諭

雷學皐上元人雲南臨安衛籍知州

嘉靖三十八年

皮豹 文蔚上元籍治易二甲第四十九人工部主事員外郎廣州府知府

何適 欽天監籍御史鉞子

徐昺 汝晦江寧籍湖廣永州府推官

侯必登 上元人雲南廣南衛籍知府

嘉靖四十年

殷康 汝錫侍郎邁侄治易第二十五人漳州府同知

伊在庭 吳縣籍見

進士

鄭宣化　第六十三人見進士

殷序　汝明禮部侍郎邁子治易第一百十四人

嘉靖四十一年　朱潤身　德光江寧籍治詩二甲第八人南吏部主事兵部郎中僉

張祉　錦衣衛籍副使祥弟教諭

曹九成　歸安訓導

顧巖　懋石上元籍治

嘉靖四十三年

吳自新 第八人見易新樂縣教諭

進士

柴芳 教諭

焦竑 旗手衛籍治書第五十三人見進士

沈質 訓導

李夢相 興國水軍衛籍治書第八十五人知縣

侯金爵 懋脩鷹揚衛籍治詩第九十一人知縣

余孟麟第九十四人見進士

趙經汝文留守衛籍治易第九十五人知府

朱衣正伯錦衣衛籍治易第一百二十人臨淄鄖西房縣知縣沅州知州

董守緒懋承欽天

監籍治易第一百三十二人蓬萊縣知縣

陳大立江寧人雲南廣南衛籍知縣

嘉靖四十四年伊在廷會魁敏生子員外郎

繆仲選教諭

李登士龍上元籍治易河南新野知縣

邵元哲上元人貴州普安衛籍知府

楊家相舜卿江寧籍治易三甲第五十

八人知縣
御史副使
李艮臣江寧人貴州普安衞籍行太僕卿
鄭宣化行義龍江左衞籍治易三甲第二百二十六人袁州府推官邵武府知府
隆慶元年
姚文芳世美錦衣任芳用譽衞籍治詩第十九人秦憲教諭

府教授

卜履吉 第五十四

人見進士

路九同 通貞龍江

左衛籍伯鍏子治書

第六十二人通山縣

知縣

宋存德 第五十九

人見進士

顧九德 常卿錦衣

衛籍治書第一百二十一人袁州推官

金元初 元予 江寧籍治易第一百三十人知奉新遷安二縣

隆慶二年

李逢陽 維明 金吾後衛籍治詩二甲第四人戶部主事禮部郎中

吳自新 伯恒 江寧

俞介 直之 廣洋衛籍治易台州府教授

金鯤 訓導

王楫 子行 江寧籍治易汀州府通判

籍治書二甲第六十九人南京刑部右侍郎

**叢文蔚** 豹卿錦衣衛籍治易三甲第一百四十七人烏程知縣

隆慶四年

**卜鏜** 振之江寧籍治易第一百二人禹州知州

**李泰** 衛籍治詩通判 選貢

**張銳** 士進治易知縣 選貢

**焦瑞** 伯賢旗手衛籍治書靈山縣知縣選貢

**李藻** 文叔上元籍教諭

**李蕃** 欽天監籍教諭

吳伯誠江寧籍文慶孫治詩第一百三人推官

王橋第一百六人見進士

張國輔第一百三十八人見進士

徐世隆上元人雲南後衛籍教諭

伊直生上元籍伯羔子治易訓導

隆慶五年

宋存德惟錦衣

衛籍鄉貢溥子治易
呂懷忠
楊希淳道南上元籍治易
三甲第二百一人知安丘縣累官僉

蕭崇業上元人雲南臨安籍左給事中
張懋緒錦衣衛籍治禮記

阮上賓江寧人雲南大和籍知縣
宇濲明重羽林衛籍澤弟治書

萬曆元年

薛應和子融江寧籍治易第二十二人
王職上元籍治易
顧峻尚書璘子

王允學江寧籍治書教授
宗人府經歷

教諭成安知縣

范思正 太醫院籍治易第八十三人全州知州　劉文邦 高淳籍訓導恩貢　王管 行太僕卿

王籥 通判

方煥 鷹揚衛籍　王簣 都院照

董肇應 第一百二十四人見進士　王竹 推官皆襄敏以旂子

萬曆二年

余孟麟 伯祥江寧籍御史光子治書一甲第二人翰林院編脩南子監祭酒　盛時泰 仲交上元籍太僕丞時春弟治易　倪民悅 文毅岳曾孫知縣

胡伯翺 彥翬治易　劉牗 尚書璘子

王橋 公濟上元籍治

上元籍河南沔池縣

詩二甲第五十五人刑部主事布政使司

訓導

張國輔惟德金吾後衛籍復姓顧治詩二甲第六十一人刑部主事浙江副使

沈鯉飛時鳴衛籍治書

馮時鳴衛籍治易

金艮子美留守後衛籍蠡縣主簿

萬曆四年

張後甲第七人見進士

萬夢桂徽孺上元籍治春秋崇義縣知縣

沈鳳翔第十八人

見進士　李學籍治易

何湛之第一百一人見進士　丁璽伯符龍江右衛籍訓導

何淳之湛之弟第一百二十五人見進士　顏儒府軍右衛籍鄉貢芳子治書

黃鶴鳴和之上元籍治易第一百三十一人

萬曆七年

錢濬第四十七人見　王之卿鷹揚衛籍

進士治易訓導

許天敘錫卿上元籍尚寶卿穀孫治書第八十人裕州知州　蔣孟倫欽卿上元籍治書常德府通判

郭濂本周江寧籍治書開封府通判

陳舜仁第八十八人見進士

張光實原務江寧籍治易

湯有光孟弢上元籍治詩第一百人南禮部司務瑞州知府

萬曆八年

錢濬啓祥上元籍治

于鉉籍治易教

易二甲第三十三人　授工部郎中

張後甲 丁也鷹揚衛籍治詩中丁丑會試至是廷試三甲第十四人四川左叅議

陸鶴鳴 九皐旗手衛籍治易奉化知縣

劉仕義 時卿留守右衛籍治易温州府教授

張照 子明錦衣籍治易祥子禹州學正

萬曆十年

沈天啓 第六人見進士

吳仲誥 上元籍教諭

黄夢麒 野生江陰　秦思
衛籍治易第十二人　顧以庶 錦衣衛籍
如皐教諭　治書建平縣訓導
張文暉 第十四人　劉東皐 錦衣衛籍
見進士　教諭
萬曆十一年　何淳之 仲雅留守　張若愚 錦衣衛籍
左衛籍治詩三甲第　治易懋緒子
十六人御史　吳文炳 自新會同
陳舜仁 純甫上元　錦籍治易任縣知縣
籍治詩三甲第一百

八十四人知江山泰和元縣大理右評事

萬曆十三年　李景春第三人見進士　夏尚忠宗禹府軍右衛籍治易知縣湖州府同知

李鎰鼎卿府軍衛籍治易第一百十七人教諭　余璘星河授河南上蔡訓導校士有條攟邑篆却暮夜金遷國學典簿

萬曆十四年　沈天啓生予工部籍治易三甲第六十五人知奉新晉江二　趙端金吾前衛籍治

縣

易岳州府教授

董肇應善初鄉貢守緒子治易三甲第二百七十三人行人兵部員外郎廣東左布政

劉應龍江寧籍治書

王杞子美江寧籍楫弟治易江西安義縣知縣

萬曆十六年

趙時振起潛江陰儒籍治易第九十一人教諭

馬載經籍封丘教諭

李汝奇蘊之太醫院籍治易浮梁縣主

紀三才參甫上元

籍治易第一百九人　簿

龍岩知縣　朱有嗣留守左衛

方鶴齡子脩上元籍教諭

籍治易第一百二十四人

萬曆十七年　焦竑弱侯一甲第一人翰林院脩撰贈諭德謚文端　金殿子鎮上元籍治易處州府教授

曹廷臣思忠太醫院籍治易訓導

何湛之仲伯留守左衛籍參議汝健子　王忠徵錦衣衛籍

治詩二甲第八人南刑部主事江西僉事浙江左參議

治易全椒訓導

張時彥江寧籍治書湖口縣教諭

顧履祥尚書璘孫寶慶同知

梁桂茂鳳池

萬曆十九年

韓國藩第八十五人見進士

余有恒江寧籍治易天台訓導

端肅材孫臨安知府善真草篆

向德象惟拱上元籍治春秋第一百十四人知縣

金丹赤侯上元籍治詩訓導

隸居身謹飭敬

倪翰儒鍾雲

文毅岳孫尋甸

姚履素第一百一十九人見進士

知府

王起宗振之

萬曆二十年 沈鳳翔 孟威上元縣籍鄉貢九思子治書三甲第一百七十一人蕭山知縣兵科給事中

張汝元 復姓顧改名啓元見進士選貢尚書敞曾孫漳州府判

朱之蕃 見進士選

貢

彭少南 子方欽天監籍治易萬安縣教諭

闕近臣 仲補驍騎右衛籍治易武康教諭

萬曆二十二年

周元 第十一人見進士

張仕 教諭

陳桂林 孟芳衛籍

何棟如 第四十八人見進士治易於潛知縣

朱之蕃 第七十人見進士

潘楠 乾所籍治詩第八十人

徐煜 伯明治易第九十七人

萬曆二十三年

朱之蕃 元玠錦衣人

衛籍知州衣子治易一甲第一人翰林院脩撰禮部侍郎出使朝鮮賜蟒玉一品服

**張文暉** 孚之金吾後衛籍治易以泰州學正中二甲第四十四人南戶部主事台州府知府長蘆轉運

**李景春** 飛伯上元

**顧巒** 懋功上元籍治易副使璪子貴池縣教諭

**余鍾英** 君儲江寧籍治書甕安知縣

**徐應龍** 時化江寧籍治易

**時潮東** 東之旗手衛籍治詩懷寧縣訓導

籍治易三甲第二十一人汀州府推官有清操陞南兵部主事

周元 長卿欽天監籍治詩三甲第六十八人安陽知縣

萬曆二十五年

顧啓元 第十一人見進士

李時彥 見進士選貢

皮光國 桂卿上元籍豹孫治易第一百二十六人

焦尊生 茂直旗手衛籍治禮記脩撰竑子選貢

萬曆二十六年

顧啓元 太初江寧籍副使國輔子治詩

會元廷試一甲第三人翰林院編脩國子監祭酒吏部侍郎謚文莊

姚炯章甫江寧籍治易潁州訓導

陳嵩籍治易常熟訓導

卜履吉元立江寧籍治易三甲第九人泉州推官福建副使

楊宗臣江寧籍治書

劉遷喬子木衞籍治詩

何棟如充符留守左衞籍湛之子治詩三甲第一百四十五

人襄陽府推官太僕少卿

**韓國藩**价卿鷹揚衛籍治詩三甲第二百七人慈谿知縣太僕少卿左通政

萬曆二十八年

**徐鳳翔**君羽江寧籍治易第五十人戶部主政

**高汝毅**維遠虎賁衛籍治詩通州學正

**夏汝成**誠之上元

**陳一治**以安應天籍治易衛籍治易第五十七人三仕縣令

卜有徵伯符上元籍治易第一百十二人平度知州

李時彥順天鄉試第二十三人見進士

萬曆二十九年

姚履素允初上元籍治書以嘉定教諭中二甲第十三人刑部主事陞廣東學憲

徐廷華籍治易

漆經載道水軍左衛籍治易

俞彥仲茅前姓李名時彥令復姓俞

江寧籍治詩以選貢中順天庚子鄉試廷試三甲第一百三十七人兵部車駕司郎中光祿寺少卿

**劉思誠** 天全 龍驤衛籍

**張用學** 上元 籍治易如皋教諭

**陳弘喆** 士明 太醫院籍知縣時萬子治詩池州府教授

周以岐山甫上元籍治易沙縣教諭

薛應梅公調上元籍治易吳江教諭

萬曆三十一年

徐揚先南高江寧籍九疇曾孫治易第四十三人見進士

董天應善佑江寧籍鄉貢守緒子治易第五十一人官知州

吳汝璟孔章江寧籍侍郎自新予治書第五十七人

焦周茂孝旗手衛籍修撰竑子治禮記第六十人

張士德叔鄰錦衣衛籍治易第六十一人

程國祥第七十六

人見進士

萬曆三十四年　程國祥我旋上元籍治易由吏部考功司郎中歷官戶部尚書武英殿大學士

萬曆三十四年　賈明道念我治易　譚尚文

第十九人

鄭觀光治易第四　蔡元白

十人

李琜治易第五十三　吳坤

人

余大成第五十九　張文學

人見進士

沈應宿治易第一　周卿

百二十七人

徐鳳翔颺岐治易閩縣知縣陞戶部主事　盧復馨少王訓導

沈朝陽宗明教授

易同人東陽訓導

余大成集生祭酒　張學書芝石訓導

孟麟孫戶部主事歷　陳聕遠

陞山東巡撫

萬曆三十七年

賈必選 徙南治易　顧端祥 寄宇官河

第三十五人官戶部　南汝寧通判有政聲

主事　卜晉吉 藎齋

顧起鳳 第三十六　楊名世 沂水訓導

人見進士　李鶴

劉光奕 簡所治易　郘九思

第五十三人官四川　鄭登庸 晴麓訓導

知縣　王允恭 秋巖訓導

王廷鑰 治書第一

百五
人

萬曆三十八年 顧啓鳳 醒石 廷試三甲由大理左評事陞鴻臚寺卿

萬曆四十年

萬曆四十一年 徐揚先 南高 江寧籍治易由萬安知縣陞江西道御史太僕寺少卿

朱萬選 淨凡 訓導

阮可久 春臺

趙人文 一川

陳晨箴

陳元慶 允嘉 治書

裴遵

第十八人滁州學博　鄭宗化尚德訓導
蔡屛周明藩治易　李應時
第四十九人官兵部　鄒景賢孟淑
郎陞大同知府　吳來鳳起泉州同
薛邦獻其可治易　張文暐蘊甫教授
第七十九雲南副使　王堯徵觀峰訓道
沈向原名時御第一　俞嘉言
百二人授巫山知縣　徐廣祐春宇
考選御史巡漕　劉金輅春臺
王芝瑞鍾淑治詩　姚履旋允吉由揚

第七人見進士
州學博陞巴東知縣

錢輝裔 治易第十九人見進士

穆春榮 熙宇州判

梁志仁 霏玉第七十三人

黃應登 少龍德清訓導

文時策 治易第一百三十三人知縣

張文曜 弦吾文暉弟蕪湖訓導

陳六奇 治易第一百三十七人景陵知縣

王艮相

張一儒 太平訓導

楊相 輔之治易第一百三十八人辰州推官陞戶部郎汀州知府

黃華應 素翁治易第三十人知縣　朱景運 星侯同知

魏珠 叔夜

易震吉 第五十二人見進士　陳王猷 鍾王石門知縣

倪嘉慶 第五十三人見進士　沈鉉 象玉柴溝通判

謝杞君含治易第六十五人新寧知州　沈尚仁崑明

姚麻孟若治書第七十九人授山東陵縣知縣　祝嘉節

顧起貞遂初江寧籍治詩戶部郎中　周文舉偉臺

王熙貴生治易復姓陳由學博陞同知　張國政正我

天啓二年

倪嘉慶樸菴江寧籍戶部吏部主事陞

戶科

天啓四年　范叔度治書第一百人　錢弘業伯陽官學博入赴鄉飲壽登九十有八

孫自脩無脩治易第一百二十人官知縣　叢中錦天孫

宋賓客宇

天啓五年　錢輝裔若谷上元籍治易禮部主事陞四川劍南道副使　葉桂林馨宇

蕭允達行我訓導

黃汝金

天啓七年　陸朗第三十一人見　盧夢麟交所

進士　張振豪湘水
李一白更生治易　顧清英平陽
第三十七人陽山知　陳嘉謀盤城吳江
縣　訓導
吳懋俊元卓治易
第六十七人宜信知縣
陳珽閬生治詩第七　姚之夔一所縣丞
十六人　黃文達靖吾
王觀宗唯士治書
江寧籍監生知縣

汪偉第一百十六人

崇禎元年　汪偉長源江寧籍慈見進士　文元龍五陵訓導

溪知縣陞翰林院簡　黃棟甲雲通判

討諡文毅　劉旋石鍾崇寧知縣

朱耳隣由庚

崇禎三年　楊士驥龍超治易

第四十一人

王佩中夢簡治易　童廷觀賁虬

第四十九人教諭

凌世韶第五十四　陳台鼎侯訓導

人見進士　焦潤生茂慈文端竑子曲靖知縣

史永清敬藏第七十三人　朱從義無外侍郎之蕃子溫台道

錢源治易第九十二人見進士　顧藎諮念之文莊起元孫

黃金榜甲先治易第七十七人　顧道昆章子文莊啓元子戶部檢校

錢佳治禮記第九十五人　顧巽昆繹子文莊起元子

崇禎四年　王芝瑞鍾淑廷試　楊啓東振垣

三甲八十一人授行人陞禮部主事四川 陳于極滄門 焦炯尚之文端 竑孫戶部主事
提學 程震初乾一
陸朗闇先廷試三甲 陳沛芝南祁門訓導 大學士國祥子
八十二人授中書科
選戶科給事中浙江 陳濟雨還廣東石城
督餉 知縣
崇禎六年 施其政玉諆治易 李崙園公無爲訓導
第二十名官吳江學博
夏時泰第十八人 張東銘

見進士

胡順忠第七十七人見進士

卜文華實甫

蔡朝聖應侯

崇禎七年

易震吉起也上元籍治易二甲二十一名官刑部主事陞大名知府嘉湖道副使

周星中順天鄉試見進士

王有旦五美知縣

韓國屏振宇

凌世韶蒼舒治書三甲三十名授寧化

陳大節可臨訓導

縣知縣陞
戶部主事

崇禎九年
王潢 元卓
顧澄英

韓范 孟小學博
温之麟

計嘉聞 瞻兮
馮昌齡 齡生訓導

鍾奇 無奇工部主事
李性仁

張蒼舒 靜涵寧波
府同知

張星煒

黃日乾 聖因治易
楊應文 亭臺主簿

以文章名篤于孝義
朱夢鯉 雨暘

士林重之

崇禎十年　錢源　伯開江寧籍治易東陽知縣有政聲考選兵科給事

趙元乙　湛巖

崇禎十二年　周景濂　治詩第二　王大化　縈峯

人見進士　劉元初　完素

王亦臨　穆如治易　顧士翹　三楚訓導

陳覲天　靜甫知縣

陳明經　元常縣丞

朱應昇允升任寶　陸士芳倩如
慶府推官　陳燮見舉人
周士章吳昉上元　薛璇升伯歸安丞
籍治春秋應城知縣
王象春亦文大冶　孫石介臣
知縣　徐有聲戶部主事
羅策元升第三十人　張士藎敬恒
見進士　吳儀潛天一
謝廷相顧小治易　徐推先叔開訓導
施化遠元引江寧　祝萬化五侯

籍容城知縣

陳丹衷　順天鄉試見進士

黃艮　處厚治易

方承化　寧子府同知

崇禎十三年

夏時泰　履安上元籍中書舍人

羅策　元升上元籍博

蔣尚彬　直甫

王仕雲　望如甲申廷元鎮江府訓導戊子舉人壬辰進士

范士雲　光承

顧夢宸　與極

劉象先　令度善書

朱尚雲　著書未任

陸大猷　孔嘉

羅知縣

王萬禩日華

崇禎十五年

周星九烟上元人湘潭籍復姓黃

胥廷清第六十八人見進士

王道用予

胡端坤石公知縣

許暢琴公吏部郎中

夏沛生生石阡推官

施鳳翼第一百五十六人見進士

班嘉佑若繩

陸大訓賓周

劉思問斷之上元籍由理刑陞同知

孫素爵宗

顧夢游與治

王觀我生文烈偉之子

陸大曆唐年

陳夔伯倫江寧籍中順天鄉試豐孫教諭

崇禎十六年　陳丹衷旻昭治易上元籍河南道御史

大清

順治二年乙酉科

路汝捷多磐江寧籍治書第十五人新城知

壽拱宸北觀同知

汪良渭非雄

李廷樞江寧籍治易丁亥進士

常惺惕若太平訓導

陳白輅嬰白知縣

史象晉上元籍治易第四十四人巳丑進士

何沛之公澤潁川正

狄其麟

郭亮江寧籍治易第七十三人丁亥進士

劉光應振先

陳虞典邦重

彭文煒次文江寧籍治春秋第八十三人襄陽府同知

白待召二東授吉水令有惠政陞柳州通判

李楨上元籍治易第九十二人巳丑進士

路汝前進公知縣

金鍊之升侯知縣

高翺江寧籍治易第張循訥幼仁知縣九十八人丁亥進士

李敬江寧籍治春秋張夢麟壽子知縣第一百人丁亥進士平其政無謀教諭

張如璿玉衡江寧陳蓀知縣籍治易第一百七人邵之楨貞木桐廬知縣周尚賢賓我知州

蔣怡穆止江寧籍治蔡謷伯玉易第一百十三人白夢鼎見舉人

陸本什几江寧籍治楊晉見舉人

易第一百二十二人　王澄見舉人

高郵學正　陸鳴時見進士

徐惺江寧籍治易第　王瑀見舉人

一百四十二人巳丑　鄧庭羅叔奇青州

進士　知府湖廣憲副

謝觀上元籍治易第　葉灼棠福建副使

一百四十四人巳丑　侯晉康侯

進士　范幟赤生湖廣綏寧

胡禹冀螭贊江寧　知縣

籍治詩第一百四十　方至鞏縣知縣

順治三年丙戌

科

順治三年丙戌科再行鄉試 五人

謝起秀 休寧訓導

劉思敬 上元籍治詩第九人丁亥進士

余二聞 未也知縣

郭鳴盛 寰驚

史允琦 江寧籍治詩第二十七人丁亥進士

顧香臨 蕙又同知

徐必登 惟一

汪彥 霏玉

錢穀 美也江寧籍治易第八十五人丹徒訓導

楊東生 爲旉南陵教諭陞國子監助教

宗觀 鶴問廷試貢元

葉舟 江寧籍治易第

傅倬 亭玉

九十八人侯鼎岐玉度
丁亥進士　　南陵

朱之翰上元訓
籍治導

詩第一百
二十二人伍之義從甫

丁亥　林一棟鄧傑
進士

吳調元與蒼鄭濂周顧考
上元授教職

籍治書第
一百二十吳山紫頡

八人與許務求若淳
化同知化知縣

順治四
年丁亥劉思敬純之上元錢培潔琢之知縣

科再行
籍治詩第葉令綸言如考授
會試

二甲三十
一人由刑知
部主事陞縣

分守左江道參議

高翺　雲旂江寧籍江易第二甲三十四人由戶部主事陞德安知府

李敬　聖一江寧籍治春秋第二甲五十六人由行人陞刑部左侍郎

史允琦　奇玉上元

林皐　紫巖

葉高標　星公知州

李先　本素

吳煥然　中闇訓導

馬御揚　泰煦

程際明　似之

鄒本聖　循以通判

何一鳳　際明推官

錢運新

吳星　獬公

籍治詩第三甲二十五人由興化推官陞山西提學僉事

郭亮 卧侯上元籍治易第三甲五十四人由隆德知縣陞戶科川西道叅議

施鳳翼 子羽江寧籍治易第三甲七十六人上虞縣知縣

李際時

甯廷楨 將子訓導

劉炳 文長青浦訓導

顧和鼎

周達 上之

程希孔 望尼

沙炳 虎占

戴震亨 秀之

陸史 左臣

**朱之翰**鶴門上元籍治詩第三甲一百九人由滑縣知縣陞行人歷官河南督學

**胥廷清**永公江寧籍治易第三甲一百三十人餘姚知縣陞工部主事

**葉舟**天木江寧籍治易第三甲一百四十

**劉鄖**玉如

**程堯情**愔只

**蔣元彥**士燦爲樂安縣令擒大盜爲餘黨所害友人朱知雄扶其柩以歸

三人華陰知縣陞兵部巡按浙江御史轉南昌知府

豫王考授監貢

劉玉佩 青黎 江寧籍考授中書歷陞刑部郎中邵武知府

李廷樞 辰玉 江寧籍治易第三甲一百九十五人翰林院檢討改浙江督糧道

順治五年戊子科

蔡祖庚 上元籍治易第三人巳丑進士

周士先 茶陵知府

王譽命 吉安府同知

宗章埈 天門 江寧

籍治易第九人江陰　張可賡虞廷穎州

教諭　同知

陳嘉善江寧籍治　王仁錫太平知縣

易第十四人巳丑進　于本年六月到任城

士　陷并子世澤家屬六

張廷基上元籍治　人死之

詩第三十八人壬辰　王廷弼右君貴陽

進士　副使

楊士元江寧籍治

易第七十三人辛丑

進士
王仕雲江寧籍治易第九十四人壬辰進士
黃康成江寧籍治詩第九十七人石埭教諭
何采江寧籍治易第一百十一人己丑進士

丁峻飛江寧籍治易第一百十五人巳丑進士

順治六年巳丑科

何采濮源桐城人江寧籍治易二甲第十五人翰林院春坊相國文端公如寵孫贛州知府廣璜子

丁峻飛 扶萬江寧籍治易二甲第二十一人辰州知府

陳嘉善 上元籍治易三甲第二十七人山東青州道

胡順忠 將美上元籍治易三甲第十六人南安知府

謝觀叔賓上元籍治易三甲第一百五人知縣陞戶部考選御史

蔡祖庚蓮西上元籍治易三甲第五十六人由甘泉知縣陞戶部直隸通薊道

徐惺子星江寧籍治易三甲第一百六十

三人中書科考選禮科轉兖東道

李楨上元籍治易三甲第二百四十一人扶風知縣

史象晉晝也上元籍治易三甲第一百五十四人萬安知縣

順治八年辛卯科

徐必遠寧菴江寧籍貴陽人癸酉貴州

王琰弗豫江寧籍治易第十四人武進教

鄉試第三　諭　李之本大生
十三人巳　刑部
丑三甲第蔣士瑋韋玉　侍郎
三人翰林江寧　敬子
院檢討轉籍治詩第　李之實刑部
桂平道叅四十四人　侍郎
周而淳江寧　敬
籍治　子
易第六十　劉自強義先
三人壬辰　左江
進　道思
士　敬子
梁堳蘇公上　劉樓生吉人
元籍治　邵武
易第七　知府玉
十人　佩子
徐珏上元籍　郭鄴
治易第
七十二人　郭鄺皆四川
壬辰進士　叅政

吳儀壽山公子江寧籍治書第九十七人全椒教諭

李之用叔和刑部侍郎敬子

夏應聯初先上元籍治易第一百七人

王鉉江寧籍治詩第一百二十四人甲辰

進士

程邑上元籍治易第一百二十七人壬辰

進士

王萬象咸昭上元籍治易第一百三十七八

王瑀東毓江寧籍治易中順天鄉試長州

教諭

陸鳴時上元籍治易中順天鄉試壬辰

進士

白夢鼐 仲調江寧籍治易中順天鄉試

楊晉 受茲江寧籍治易中順天鄉試

王澄 子靜江寧籍治易中順天鄉試饒州府推官

順治九年壬辰科

周而淳 古村江寧籍治易二甲第四十九人戶部主事

**程邑** 幼弘上元籍治易三甲第三十三人翰林院庶吉士改國子監助教

**王仕雲** 望如江寧籍治易三甲第九人泉州府衡州府推官

**張延基** 埴允上元籍治詩三甲第一百四十四人石泉知縣

陸鳴時繡文上元籍治易三甲第一百四十八人中書舍人

徐珏二玉上元籍治易三甲第二百六十七人黃巖知縣

順治十一年甲午科

程翰上元籍治詩第二人戊戌進士

周道泰通也江寧籍治易第四十人

王作礪　金汝上元籍治易第六十八人

鄧士傑　上元籍治易第八十九人辛丑進士

謝沛　天流江寧籍治易第一百五人

史樸　守虔上元籍治易第一百十七人

順治十二年乙

周景濂　仍叔上元

未科籍治詩三甲第五十四人石阡府推官

順治十四年丁酉科

程秸江寧籍治易第二十七人

吳樹聲江寧籍治書第五十八人甲辰進士

楊兆皐景芝江寧籍治易第六十一人

江蕃江寧籍治詩中

順天鄉試

錢天予上元籍中

順天鄉試

順治十五年戊戌科　程瀚北海上元籍治詩三甲第一百四十五人安仁知縣

順治十六年己亥科再行會試

順治十七年庚子科　朱英辰望上元籍治易第七人

阮夔 欒敘江寧籍治詩第二十九人

順治十八年辛丑科

鄧士傑 萬子上元籍治易二甲第六十七人

楊士元 屆先江寧籍治易三甲第一百十五人

康熙二年癸卯科

胡士著 江寧籍治易第三人甲辰進士

阮士鵰天雲江寧籍治易第二十九人

陳菁又青江寧籍治易第六十九人

康熙三年甲辰科

胡士著絅文江寧籍治易三甲第十九人翰林院檢討

吳樹聲周旌江寧籍治書三甲第二十七人

王鋐澹石江寧籍治詩三甲第三十四人

江蕃宣子江寧籍治詩三甲第一百三十一人

康熙五年丙午科

陶敬肅公江寧籍治詩第十九人

黃其代有臣江寧籍日乾子治易第二十三人

羅秉倫 振夔江寧人見進士

康熙六年丁未科

康熙八年己酉科

貢琛 上元籍治詩第十八人

許心周

顧甡昆

葉炳 扶先江寧人治易第二十六人沛縣教諭

吳履聲 和仲江寧

人治書第五十二人　章元摺

康熙九年庚戌科　白夢鼐受茲江寧人治易第二人大理寺左評福建王試

湯衡

馬逢皐

周道泰通也江寧人治易元氏縣知縣

項昂

沈繼志

康熙十一年壬子科

梁雲官

王瑞貢元見進士

康熙十二年癸丑科　羅秉倫振夔江寧人治易翰林院庶吉

陳奮新教習考授知縣第一

士授河南道御史內陞大理寺丞　　馬士芳 教諭薦舉

康熙十四年乙卯科

何允謙 尊六江寧　　張六吉

人治易第三人　　汪肇京 壬子副榜

陳公球 鴻寶江寧　　考授知縣

人治易第四十八人　　周國代

汪燮 玉上江寧人治易第五十一人　　丘學古

王瑞 順天鄉試第四人見進士　　汪士登 于岸

陸史 順天鄉試見進　　施縉修

士

朱琦玉奇

康熙十五年丙辰科

王瑞魯生上元人治春秋第四人庶吉士授檢討

李如桂月生

倪燦闇公見舉人

康熙十六年丁巳科

張斗江寧人治春秋第十八人

胡士楫濟公

毛奇麟龍儀

馮從雲玉持上元人治詩第二十五人

何雒書弘子

顧夢庚佩公

范儼若思江寧人治易第三十人

高有基孚九授甘泉令

方宣嚴江寧人治　項駿穆馭
書第三十三人　詹淇雷潤
江朝宗見進士第　陳應金霏英甲子
八十二人　副榜虞典之子廷試
叢克敬祇公江寧第十四人
人治易第八十六人　汪源長漪萬考授
倪燦順天鄉試見薦知縣
辟　顧恪湘玉
潘應恒上元人第　周志道祇如
二人　楊泰開生

康熙十七年戊午科

史作弼星巖江寧 王方穀我生
人治易第三十一人
徐元貞我正治易 龔翰文思
周銘鹿峯廷試第四
周藻倬人上元人治 人
春秋 曹新里礎航廷試
阮樫巖公江寧人治 第二人
易順天鄉試 張景載仍渠辛酉
副榜考授教習

康熙十八年己未科 陸史左臣江寧人治易

康熙二十年辛酉科

胡任輿孟行上元人治易解元

金鉉上元人治易第一十五人

康熙二十一年壬戌科

曹風淳簡在

朱科起隆

沈瑞徵獻吉

康熙二十三年甲子科

曹新里礎航江寧人治書第十八人

陸遇隆幼凝上元

人治易第十一人

吳標龍建上元人治易第三十三人

程紹伊昉落江寧人治禮記五十九人

康熙二十四年乙丑科

江朝宗公達上元人治易第七十五人